PROFIL D'UNE ŒUVRE

Collection dirigée par Georges Décote

✔ KU-342-856

Zadig (1748)
Micromégas (1752)

VOLTAIRE

À Jacques Van den Heuvel,
à qui cet ouvrage doit beaucoup

PASCAL DEBAILLY
Ancien élève de l'École normale supérieure
Agrégé des Lettres

Sommaire

© HATIER Paris, 2001   ISSN 0750-2516   ISBN : 978-2-218-73744-2

TROISIÈME PARTIE 105

Lectures analytiques

Édition : Christine Ligonie
Maquette : Tout pour plaire
Mise en page : Graphismes

Zadig (1748)

Voltaire (1694-1778)

Conte philosophique   XVIIIe siècle

RÉSUMÉ

Zadig, jeune Babylonien pourvu de toutes les qualités, croit pouvoir être heureux, mais il ne subira que des mésaventures. Ses illusions amoureuses disparaissent vite : Sémire l'abandonne ; Azora se montre infidèle. Zadig se réfugie dans l'étude des sciences. Nouvelle désillusion. Ses connaissances et sa finesse intellectuelle le conduisent en prison. À peine sorti, il est en butte à la jalousie du courtisan Arimaze, qui réussit à le faire incarcérer. Innocenté, il devient le premier ministre du roi Moabdar. Mais il tombe amoureux de la reine Astarté. Menacé de mort, il doit quitter Babylone. Commence alors pour lui une période d'errance. Arrêté pour un meurtre, il est vendu comme esclave. Grâce à son habileté, il devient vite l'ami de son maître Sétoc. Il convainc les Arabes de renoncer à une coutume barbare. Mais des prêtres veulent sa mort. Heureusement Almona, qu'il a naguère sauvée du bûcher, le sauve. Zadig veut retrouver Astarté. Le brigand Arbogad lui apprend que Moabdar est mort et que l'anarchie règne à Babylone. Un pêcheur, dont il sauve la vie, lui donne d'autres nouvelles. Il retrouve par hasard Astarté, qu'il soustrait au seigneur Ogul. Astarté est reçue triomphalement à Babylone. Elle épousera l'homme le plus valeureux et le plus sage, à l'occasion d'un tournoi et d'une épreuve consistant à résoudre des énigmes. Dépossédé de sa victoire au tournoi par Itobad, Zadig rencontre l'ange Jesrad, qui lui donne la clef de ses aventures et le sens de sa destinée. Il remporte l'épreuve des énigmes, confond Itobad, épouse Astarté et devient roi.

- **Zadig**, le héros.
- **Astarté**, femme de Moabdar, avant de devenir celle de Zadig.
- **Moabdar**, roi de Babylone.
- **Missouf**, seconde femme de Moabdar.
- **Arimaze**, personnage envieux, qui cherche la perte de Zadig.
- **Sétoc**, marchand auquel Zadig est vendu comme esclave.
- **Jesrad**, ange qui aborde Zadig sous la forme d'un ermite.

CLES POUR LA LECTURE

1. Un roman d'apprentissage

Zadig est un récit qui appartient au genre du roman de formation. Dans ce type de roman, un héros passe de l'adolescence à l'âge adulte, en faisant la dure expérience du réel. Peu à peu au fil du conte, Zadig devient un sage, un philosophe des Lumières.

2. Un conte oriental

Pour écrire *Zadig*, Voltaire s'inspire de l'imaginaire des *Mille et Une Nuits*. Les personnages, les lieux, les intrigues reprennent les schémas des contes orientaux. Le conteur peut ainsi donner libre cours à sa fantaisie et à son imagination. Mais en fait il cherche moins à faire rêver qu'à faire réfléchir. Le conte est un décor à travers lequel Voltaire fait la critique de son temps.

3. La question du bonheur et de la Providence

Cette question est au cœur de l'histoire. Pourquoi l'homme a-t-il tant de difficulté pour être heureux ? Pourquoi le mal existe-t-il ? Dieu organise-t-il vraiment la destinée humaine, sous la forme d'une Providence ?

4. La satire de l'intolérance et du fanatisme

Voltaire s'en prend à toutes les formes de l'intolérance et du fanatisme dans le domaine religieux, politique et intellectuel. L'ironie féroce du conte a surtout pour cibles tous ceux qui profitent de leur position pour accroître leur pouvoir au détriment de la liberté des autres.

FICHE PROFIL

Micromégas (1752)

Voltaire (1694-1778)

Conte philosophique   XVIIIe siècle

RÉSUMÉ

Micromégas est un géant qui habite la planète Sirius. Ses travaux philosophiques le rendent suspect aux autorités religieuses et l'obligent à s'exiler. Il arrive sur la planète Saturne, dont les habitants sont beaucoup plus petits que sur Sirius. Il fait la connaissance du secrétaire de l'Académie des sciences, avec lequel il engage un dialogue philosophique. Les deux amis décident de poursuivre ensemble l'exploration de l'univers. Leur périple les amène sur la Terre, planète qui leur paraît d'abord inhabitée. À l'aide d'un diamant énorme qui leur sert de loupe, les deux géants finissent par apercevoir une baleine, puis un vaisseau qui rentre d'une expédition scientifique au pôle Nord. Ils découvrent sur ce vaisseau des êtres minuscules. Pour s'entretenir avec eux, Micromégas confectionne un cornet acoustique. Il s'aperçoit que sur les questions qui relèvent de la science, les Terriens tombent facilement d'accord. En revanche, ils se querellent dès qu'ils parlent de la nature de l'âme, de la matière ou de l'esprit, c'est-à-dire des problèmes métaphysiques. Les deux géants décident de partir. Micromégas leur laisse un livre qui les mettra d'accord. Mais lorsque les hommes ouvrent ce livre, ils ne voient que des pages blanches.

PERSONNAGES PRINCIPAUX

- **Micromégas**, géant, habitant de la planète Sirius.
- **Le Saturnien**, compagnon de voyage du héros.
- **Les Terriens**, membres d'une expédition scientifique.

1. Le voyage imaginaire

Micromégas est un conte où dominent le merveilleux et la fantaisie. Il s'agit d'un parcours initiatique, qui prend la forme d'un voyage à travers le cosmos. Mais Voltaire ne se contente pas de faire travailler notre imagination. Il s'efforce aussi de nous pousser à réfléchir.

2. Le relativisme

Le conte s'amuse à jouer sur les rapports de proportion entre le gigantisme de Micromégas et du Saturnien d'un côté, et la petitesse ridicule des hommes de l'autre. De cette manière le conteur nous convie à une réflexion sur le relativisme, sur le caractère relatif des prétentions humaines comparées à l'immensité de l'univers.

3. La critique de la métaphysique

La métaphysique est la partie de la philosophie qui traite de questions comme Dieu, l'au-delà, l'origine du monde, la fin du monde… Pour Voltaire ces questions sont vaines. Il préfère, comme son héros Micromégas, aborder le monde avec un regard scientifique et concret. Être philosophe pour lui, c'est d'abord développer son esprit critique pour libérer les hommes de toutes les formes de tyrannie.

PREMIÈRE PARTIE

Résumés
et repères
pour la lecture

Résumé et repères
pour la lecture de Zadig

RÉSUMÉ

Chapitre I : « Le borgne [1] ». – À Babylone, Zadig, un jeune homme doué de toutes les qualités, croit que le bonheur est possible. Sur le point d'épouser Sémire dont il est passionnément aimé, il est victime de la jalousie d'Orcan. Ce dernier tente de faire enlever Sémire. Zadig s'interpose, chasse les ravisseurs, mais est gravement blessé à l'œil. Une fois qu'il a recouvré la santé, il apprend que Sémire l'a abandonné pour se marier à Orcan. Malgré son chagrin, il décide d'épouser Azora.

Chapitre II : « Le nez ». – Avec son ami Cador, Zadig monte une mise en scène pour éprouver la fidélité conjugale d'Azora. On annonce à Azora la mort de Zadig, mais elle ne tarde pas à se consoler auprès de Cador. Pour soigner un mal dont il prétend souffrir, Cador demande qu'elle lui applique sur le côté le nez d'un homme qui vient de mourir. Azora, sans hésiter, s'apprête à couper le nez de son mari défunt. Il se réveille juste à ce moment pour déplorer son infidélité.

Chapitre III : « Le chien et le cheval ». – Après avoir répudié Azora, Zadig croit pouvoir trouver le bonheur en étudiant les sciences de la nature. Cette activité nouvelle ne lui cause que des ennuis. On l'accuse d'avoir volé la chienne de la reine et le cheval du roi, parce qu'il a renseigné ceux qui sont partis à leur recherche, à partir d'une analyse des traces laissées par ces animaux. Échaudé par cette affaire, Zadig décide de ne plus parler de ce qu'il a vu. Mais bientôt, on le condamne pour n'avoir pas rapporté qu'un prisonnier en fuite était passé sous ses fenêtres.

Chapitre IV : « L'envieux ». – Zadig cherche à se consoler de ses déboires grâce à la philosophie et à l'amitié. Sa maison s'ouvre aux

---

1. Les titres des chapitres sont de Voltaire.

savants de Babylone. Mais le succès de Zadig fait des envieux, notamment Arimaze. Zadig écrit sur des « tablettes » un petit poème en l'honneur du roi Moabdar qui vient de remporter une victoire militaire. Le jugeant imparfait, il brise les tablettes et les jette. Arimaze en ramasse une moitié, où le texte tronqué s'est transformé en injures contre le roi. Zadig est mis en prison. Mais grâce à un perroquet, Zadig est libéré.

REPÈRES POUR LA LECTURE

Un conte oriental

Les premiers chapitres installent le décor oriental du conte. Voltaire s'inspire des contes des *Mille et Une Nuits*. Il s'agit de dépayser le lecteur avec des noms exotiques, des pratiques religieuses étranges, des intrigues de sérail, propres à faire rêver. Mais pour le conteur, ce décor n'est pas une fin en soi. Il est en fait seulement un décor, c'est-à-dire une illusion, une tromperie, une fiction. À travers cet Orient de fantaisie, Voltaire met immédiatement en route son projet critique et philosophique.

Le personnage de Zadig

Comme Candide et l'Ingénu, Zadig a les caractéristiques des héros voltairiens. Il aborde le monde avec confiance, droiture et bonté. C'est un personnage parfait, équilibré, sensible, ennemi des excès et des passions destructrices et de la sottise. C'est un philosophe des Lumières, qui réfléchit et qui s'en remet plutôt à la science qu'aux spéculations trop intellectuelles et aux dogmes de la religion, sources d'intolérance et de fanatisme.

Un roman d'apprentissage

Zadig est un roman d'apprentissage et de formation: un jeune héros passe de l'adolescence à l'âge adulte par une pénible découverte du réel. Il fait surtout l'expérience de la désillusion. La trahison de Sémire, puis celle d'Azora, lui révèlent l'illusion de l'amour. Ses déboires avec la justice du roi, qui ne veut pas admettre des vérités fondées sur l'observation, lui montrent la difficulté de faire de la raison un absolu universel. L'envie dont il est aussitôt la cible lui apprend combien il est dur de s'imposer dans la société. Zadig est donc confronté à trois illusions : l'amour, le savoir intellectuel et la société. Cet apprentissage modifie sa vision du monde mais sans jamais altérer le fond de son caractère.

L'humour et l'ironie

Tels sont les deux composantes majeures du conteur qui tirent les ficelles de la fiction. Par l'humour, Voltaire ne cesse de prendre de la distance par rapport aux événements qu'il décrit. Par l'ironie, qui consiste à présenter les choses de telle manière que l'on comprenne le contraire de ce qui est dit, Voltaire se livre à une critique féroce des apparences et des institutions de son époque.

CHAPITRES v à viii

RÉSUMÉ

Chapitre V: « Les généreux ». – Un concours est organisé pour récompenser l'auteur de l'action la plus généreuse. Zadig emporte le prix, car lui seul a osé dire du bien au roi « d'un ministre disgracié ».

Chapitre VI: « Le ministre ». – Zadig devient « premier ministre » du roi. Il exerce excellemment son ministère.

Chapitre VII : « Les disputes et les audiences ». – Zadig met d'accord deux sectes qui s'opposaient sur le point de savoir s'il fallait entrer du pied droit ou du pied gauche dans le temple de Mithra. Les femmes de Babylone voudraient toutes avoir une aventure avec lui. La femme d'Arimaze, l'envieux, jalouse de ne pas être sa préférée, se met à comploter contre lui.

Chapitre VIII : « La jalousie ». – Zadig tombe passionnément amoureux de la reine Astarté, qui elle-même, sans s'en rendre compte, est devenue amoureuse de lui. Le roi Moabdar s'aperçoit de cet amour. Il décide de faire mourir sa femme et Zadig. Astarté, informée des projets de son époux, conjure Zadig de prendre la fuite.

REPÈRES POUR LA LECTURE

Bonheur et politique

Dans ces chapitres, Zadig commence par connaître le bonheur. Tout lui réussit au point qu'il devient premier ministre du roi. Il se montre un homme politique qui fait régner la justice et la raison. Il se montre tolérant et manifeste dans tous ses comportements une grande douceur. Son attitude définit l'idéal politique de Voltaire, le « despotisme éclairé ». Elle s'oppose au fanatisme, à l'injustice, à la violence. Le « despotisme éclairé » n'est ni une tyrannie, ni une monarchie absolue, ou le souverain se livre à son caprice et à l'arbitraire du pouvoir. Le « despote éclairé » est un sage, un disciple de la philosophie des Lumières.

La satire du fanatisme religieux

La religion est l'un des domaines où s'exercent le plus au temps de Voltaire l'intolérance et le fanatisme. Face aux sectes qui s'opposent sur des points de détail et qui sont prêtes à recourir à la violence, Zadig s'efforce de faire triompher le point de vue consensuel de la raison et du bon sens.

La parodie du roman sentimental

Le récit obéit très largement aussi à une trame romanesque. Zadig est au cœur d'intrigues sentimentales embrouillées, qui causeront sa perte. Il tombe en effet éperdument amoureux de la reine. Les thèmes, les motifs et les schémas narratifs, mis en œuvre dans ces chapitres, Voltaire les emprunte aux grands romans d'amour de son époque, qu'il s'amuse à imiter, en exagérant les situations. Ce dont Zadig fait surtout l'expérience, c'est de la jalousie des autres. La société ne supporte pas les gens trop heureux. Aussitôt ils sont l'objet de l'envie.

CHAPITRES IX À XIII

RÉSUMÉ

Chapitre IX : « La femme battue ». – En route vers l'Égypte, Zadig porte secours à une femme qu'injurie et que frappe un amant jaloux. Un duel s'engage au terme duquel Zadig tue l'amant brutal. Loin de le remercier, la femme s'emporte avec furie contre Zadig.

Chapitre X : « L'esclavage ». – Accusé d'avoir enlevé Missouf, la femme battue, et d'avoir assassiné Clétofis, l'amant brutal, Zadig est vendu comme esclave au marchand Sétoc, dont il se fait bientôt remarquer grâce à son ingéniosité et à son savoir.

Chapitre XI : « Le bûcher ». – Zadig fait comprendre à Sétoc qu'il est inutile d'adorer les astres comme des dieux. Zadig réussit en outre à faire abandonner par les Arabes une coutume consistant à brûler les veuves sur le bûcher où se trouve leur mari. Il sauve ainsi de la mort la jeune Almona.

Chapitre XII : « Le souper ». – Zadig participe à un souper avec un Égyptien, un Indien, un Chinois, un Grec et un Celte. Chacun affirme que sa religion est la seule véritable. Zadig réussit à leur prouver qu'ils sont d'accord sur le fond et adorent tous un Être suprême, quel que soit son nom.

Chapitre XIII : « Les rendez-vous ». – Les prêtres de la tribu de Sétoc, furieux de la disparition de la coutume du bûcher, décident de perdre Zadig. Almona, la veuve naguère sauvée du bûcher par Zadig, joue de ses charmes auprès des prêtres, les fait confondre par les juges et obtient la libération du condamné. Zadig prend le chemin de Babylone, à la recherche d'Astarté.

REPÈRES POUR LA LECTURE

Le thème de la destinée

La destinée est l'un des thèmes principaux du conte : quel est le sens, quelle est la finalité de la vie ? Zadig, qui a tout pour être heureux, connaît en fait une série de malheurs : victime de la jalousie du roi, il est chassé de Babylone ; poursuivi, traqué, il est vendu comme esclave à un marchand. Du sommet, il tombe au plus bas de l'échelle sociale. Ainsi la société et le cours de la vie ne reconnaissent pas à leur juste mérite les individus authentiquement vertueux. Ce qui est remis en cause, c'est l'idée de Providence divine : la création répond-elle vraiment aux desseins d'un Dieu qui aurait tout prévu et préparerait le triomphe final de la justice ?

Dieu existe, il existe au-delà de toutes les Églises particulières. Toutes les religions en effet, quelles que soient leurs différences, adorent en fait le même Dieu.

La satire du fanatisme

Sans cesse depuis le début du roman, le héros est en butte à toutes les formes de l'intolérance et de la violence. Très souvent en procès, il est toujours victime de juges corrompus, qui sont mus par des intérêts particuliers ou des préjugés religieux plutôt que par la recherche de la vérité.

Dans le domaine religieux, loin d'apporter la paix et l'amour, les différentes Églises ne cessent de prôner la violence et de se comporter avec cruauté. Voltaire montre à travers la fiction du conte à quel point les différentes religions sont d'abord des institutions politiques surtout soucieuses d'affirmer et de conforter leur pouvoir.

Un parcours initiatique

Chaque chapitre apparaît comme une épreuve que le héros doit subir pour devenir un adulte et un homme vraiment libre. Dans ces chapitres, on retrouve l'un des motifs les plus courants du roman de formation, le motif du voyage. C'est en quittant son pays natal que le héros du roman de formation accède peu à peu à l'identité par le contact avec l'*altérité*, c'est-à-dire avec les autres et avec des pays étrangers.

Le rythme endiablé du récit

Le style de Voltaire tourbillonne. Il a un rythme très rapide, formé de phrases courtes. La coordination est d'une manière générale préférée à la subordination. Ce style serré, coupé, haletant, souligne l'accélération vertigineuse des événements. Les péripéties s'enchaînent avec une sorte de gaieté folle. Si tragique en effet que soit la destinée du héros, le conteur ne perd pas son humour et sa gaieté.

CHAPITRES XIV à XIX

RÉSUMÉ

Chapitre XIV : « Le brigand ». – En cours de route, Zadig tombe aux mains du brigand Arbogad. Le brigand lui apprend que le roi Moabdar a été tué et que la reine Astarté serait devenue une concubine. Zadig reprend le chemin de Babylone.

Chapitre XV : « Le pêcheur ». – Zadig surprend un pêcheur sur le point de se suicider. Il l'empêche de mettre son projet à exécution.

Chapitre XVI : « Le basilic ». – En route vers Babylone, Zadig croise des femmes à la recherche d'un remède destiné à soigner l'obésité de leur maître Ogul. Il surprend une jeune femme qui trace sur le sable le nom de Zadig. C'est Astarté. Zadig lui rend la liberté en guérissant Ogul.

Chapitre XVII : « Les combats ». – Astarté est reçue triomphalement à Babylone. Elle épousera celui que les Babyloniens vont se donner comme roi. Un tournoi est organisé, mais avant d'être proclamé définitivement roi, le vainqueur devra résoudre des énigmes. Zadig triomphe dans le tournoi en désarçonnant tous ses adversaires. Mais Itobad s'empare nuitamment de l'armure de Zadig et se fait proclamer vainqueur.

Chapitre XVIII : « L'ermite ». – Rempli de désespoir, Zadig erre sur les rives de l'Euphrate. Il est abordé par un ermite, avec lequel il conclut un pacte : pendant quelques jours, ils ne devront pas se séparer. Leur arrivent alors des aventures étranges qui poussent Zadig à s'emporter contre le vieillard. Mais l'ermite se métamorphose. Il s'agissait de l'ange Jesrad. Il explique à Zadig le sens de la vie : il importe de se faire à l'idée que le mal est un élément nécessaire à l'ordre du monde et à la naissance du bien.

Chapitre XIX : « Les énigmes ». – De retour à Babylone, Zadig participe à l'épreuve des énigmes. Il les résout avec une grande facilité. Il révèle que c'est lui et non Itobad qui portait l'armure blanche au moment du tournoi. Pour le prouver, un nouveau combat s'engage. Zadig défait Itobad, qui doit s'avouer vaincu. Il devient roi et épouse Astarté. Commence alors pour Babylone une période de bonheur.

REPÈRES POUR LA LECTURE

La fin du parcours initiatique

Le parcours initiatique comprend encore des épreuves pénibles : Zadig tombe aux mains d'un brigand ; il apprend que la femme qu'il aime, Astarté, a été vendue comme concubine. Mais peu à peu les événements tournent en sa faveur. Il devient de plus en plus maître de son destin. Chassé de Babylone, il y revient. Ce retour au point de départ marque aussi l'accession à la maturité. De victime des événements, Zadig devient maître de sa destinée. Il retrouve Astarté. Tous deux s'apprêtent à voir triompher leur amour.

Le merveilleux oriental

Les derniers chapitres dans l'atmosphère des *Mille et Une Nuits*, avec ses brigands, ses sultanes, ses animaux fabuleux comme le « basilic », ses apparitions fantastiques comme « l'ange Jesrad », ses énigmes. Grâce à tous ces ingrédients, le conteur donne libre cours à sa fantaisie et propose au lecteur des scènes divertissantes. Mais cet Orient fabuleux rime pour Voltaire avec fanatisme, obscurantisme et cruauté, à l'image de la reine Missouf. Il fonctionne comme un repoussoir aux êtres de raison et de clarté que sont Zadig et Astarté.

La question du mal et du destin

Les derniers chapitres du conte continuent de nourrir une réflexion philosophique sur le mal et sur le sens de la vie. Ce que finit par comprendre le héros, notamment auprès de « l'ermite », c'est que le mal peut servir au bien, qu'on ne peut construire son bonheur si l'on ne sait pas analyser lucidement toutes les sources du mal.

L'ensemble du conte a baigné dans le désordre et le hasard. Zadig n'a cessé d'être le jouet d'un destin capricieux et cruel. Mais à la fin de l'histoire tout rentre dans l'ordre : le bien triomphe, Zadig épouse Astarté, la paix s'installe à Babylone. Est-ce à dire que la Providence divine existe ? Rien n'est moins sûr. Ce qui triomphe, ce n'est pas la volonté divine, mais plutôt celle du conteur, qui arrange un dénouement pour le plus grand plaisir du lecteur. Le triomphe final de Zadig permet à l'auteur de figurer son idéal, autrement dit ce que serait un monde vraiment gouverné par la sagesse.

RÉSUMÉ ET REPÈRES
POUR LA LECTURE DE *MICROMÉGAS*

CHAPITRE I

RÉSUMÉ

Micromégas, habitant de la planète Sirius, est un géant d'une taille impressionnante. D'une intelligence non moins stupéfiante, il manifeste ses dons en géométrie et dans les sciences de la nature. Ses travaux le rendent cependant vite suspect auprès des autorités religieuses de son pays, au point qu'il est contraint à l'exil.

Micromégas en profite pour voyager. Il arrive sur Saturne où il se lie d'amitié avec le « secrétaire de l'académie ».

REPÈRES POUR LA LECTURE

Le merveilleux du conte

D'emblée *Micromégas* nous plonge dans le merveilleux propre aux contes. Nous évoluons dans un monde de géants, sur la planète Sirius. Voltaire met en place un comique fondé sur la disproportion et le contraste, par rapport à la dimension des hommes et de la planète Terre. Il nous fait rêver par des tailles et des proportions gigantesques, tout en nous promenant dans le cosmos et les galaxies.

Un héros voltairien

Tout géant qu'il est, Micromégas n'en est pas moins un héros voltairien. C'est un être pur et bon, ouvert aux autres, plutôt porté aux sciences exactes qu'aux spéculations philosophiques qui ne débouchent sur rien. Comme les autres contes de Voltaire, ce récit se présente comme un roman de voyage et d'apprentissage où un jeune homme arrive à la maturité, après avoir subi différentes épreuves.

La satire du fanatisme religieux

Le héros finit par être chassé de la planète Sirius pour des raisons religieuses. Aux fanatiques qui le persécutent, Micromégas oppose son esprit rationnel et simple, uniquement soucieux de données concrètes et mathématiques. Voltaire use pour cela principalement de l'ironie, qui fait apparaître les contradictions et les absurdités du comportement des ecclésiastiques.

CHAPITRES II et III

RÉSUMÉ

Chapitre II. – Les deux amis s'accordent pour penser que les Saturniens comme les Siriens, en dépit de leurs facultés exceptionnelles et de leur longévité, sont des êtres perpétuellement insatisfaits et inquiets. La conversation traite ensuite des propriétés de la matière et de la Providence divine. Les deux extra-terrestres décident alors de voyager ensemble.

Chapitre III. – Le Saturnien doit cependant affronter les reproches de sa maîtresse, qui se lamente d'être délaissée. Mais ce contretemps n'empêche pas les deux amis de partir. Ils séjournent sur Jupiter, côtoient Mars et débarquent sur la Terre.

REPÈRES POUR LA LECTURE

Un voyage initiatique

Après avoir été banni de son pays natal, Micromégas entreprend un voyage d'exploration du cosmos, de manière à ouvrir son esprit. Il débarque sur la planète Saturne, où il se lie d'amitié avec un Saturnien. C'est à la fois la découverte de l'Autre et d'un pays étranger. Un roman d'initiation commence quand un jeune héros quitte le pays natal et part à la rencontre du monde.

La parodie du roman d'amour

Les démêlés du Saturnien avec sa maîtresse sont une parodie des romans sentimentaux dont raffolent les lecteurs et les lectrices du XVIIIe siècle. Le jeu comique du conte repose fondamentalement sur la parodie, qui imite une forme ou un genre, pour en tirer des effets comiques.

L'enquête philosophique et l'éloge de la science

Micromégas et le Saturnien se comportent en philosophes des Lumières à la recherche de la vérité. Ils constatent surtout leur inquiétude et leurs limites. Mais ils sont animés par la même curiosité intellectuelle et le même désir de savoir. Ce sont deux savants qui préfèrent au conformisme intellectuel la recherche et l'ouverture sur l'inconnu.

CHAPITRES IV à VII

RÉSUMÉ

Chapitre IV. – La Terre leur semble minuscule. Ils ont beau se contorsionner dans toutes les positions, ils ne parviennent pas à détecter la moindre trace de vie. Mais Micromégas est persuadé que cette planète est habitée. Les pierres de son collier de diamants tombées sur le sol servent bientôt de « microscopes », grâce auxquels les deux géants commencent par apercevoir une baleine, puis un autre animal aussi gros, mais qu'ils ne parviennent pas à identifier. Il s'agit, en fait, d'un vaisseau ramenant du pôle Nord une expédition scientifique.

Chapitre V. – Micromégas saisit le vaisseau entre deux doigts, geste qui fournit à Voltaire une occasion supplémentaire de mettre en évidence le caractère dérisoire des activités humaines, notamment de la guerre. Le géant finit par apercevoir des hommes, aussi gros pour lui que des « atomes ».

Chapitre VI. – Micromégas comprend que ces êtres minuscules parlent. Afin de pouvoir s'entretenir avec eux, il confectionne un cornet acoustique. Les deux géants entament alors la conversation avec les hommes. L'un des Terriens, désireux de montrer ses capacités aux deux géants, propose à Micromégas de mesurer sa taille. Le débat s'engage ensuite sur les rapports de la taille et de l'intelligence.

Chapitre VII. – Micromégas, rempli d'admiration devant les possibilités des hommes, pense qu'ils doivent connaître le bonheur. L'un de ses interlocuteurs le détrompe. Fanatisés, cruels et intolérants, les humains ne cessent de se faire la guerre. Mais qu'en est-il des philosophes ? Sur les questions qui relèvent de la physique, ils tombent facilement d'accord. Mais dès que Micromégas les questionne sur la nature de leur âme et sur le processus de formation de leurs idées, ils se querellent. Les membres du vaisseau défendent, en effet, chacun à leur tour, les idées de quelques grands philosophes. Mais aucun de ces systèmes ne concorde. Lorsque le défenseur des idées de saint Thomas explique que l'univers a été conçu uniquement en fonction de l'homme, les deux géants étouffent de rire, au point que le vaisseau tombe « dans une poche de la culotte du Saturnien ». Micromégas récupère les membres de l'équipage et leur promet d'écrire un livre qui les mettra d'accord. Mais lorsqu'ils l'ouvrent, ils ne voient que des pages blanches.

REPÈRES POUR LA LECTURE

Le comique de disproportion

Le comique atteint ici un paroxysme dans la disproportion entre le gigantisme de Micromégas et du Saturnien d'un côté, et la petitesse des hommes de l'autre. Le problème qui occupe principalement les personnages est d'entrer en relation. Nous sommes ici pleinement dans le merveilleux des contes, qui obéissent à des lois magiques.

La satire de la prétention humaine

Ce comique de disproportion a surtout pour fonction de tourner en dérision la vanité humaine. Tout est fait dans le conte pour humilier l'homme et le rapetisser. Lui qui se croit supérieur au reste de la Nature n'est en fait qu'un point minuscule dans l'ensemble de l'univers.

La question du bonheur

Le thème du bonheur est au centre des discussions entre les deux extra-terrestres et les humains. En fait les hommes ne sont pas vraiment heureux sur terre, bien qu'ils soient dotés d'une intelligence qui devrait leur permettre de vivre dans la sagesse et l'harmonie. D'accord quand ils échangent des données scientifiques, les hommes ne cessent de se disputer quand ils discutent de Dieu, de l'au-delà, des origines de l'univers, toutes idées qui relèvent de ce que l'on appelle la *métaphysique*.

Le point de vue du conteur

Il est omniprésent. Le décalage entre les géants et les hommes figure en fait la distance propre à l'humour du conteur. Le point de vue en surplomb de Micromégas sur les hommes est aussi celui du conteur. Cette hauteur favorise en effet un comique de supériorité, grâce auquel Voltaire peut exprimer ses propres idées. Ce point de vue est celui des philosophes des Lumières, un point de vue en lutte avec toutes les formes de domination du XVIIIe siècle : la religion, le pouvoir absolu et les systèmes de pensée qui obscurcissent la réflexion plutôt qu'elles ne l'éclairent.

DEUXIÈME PARTIE

Problématiques essentielles

1 | Voltaire et les Lumières

François-Marie Arouet naît à Paris, en 1694, dans une famille de bonne bourgeoisie. Il fait de brillantes études classiques, chez les jésuites du collège Louis-le-Grand. En 1717, des poèmes satiriques écrits contre le régent, Philippe d'Orléans, lui valent onze mois de Bastille. À sa sortie, il adopte le pseudonyme de Voltaire. Il compose alors des pièces de théâtre qui le rendent célèbre à la Cour et dans les milieux aristocratiques. Mais, en 1726, il se querelle avec le chevalier de Rohan qui le fait bâtonner par ses gens. Il est de nouveau incarcéré quelques jours à la Bastille, puis s'exile en Angleterre. Ce séjour dans la patrie du libéralisme exerce sur lui une influence profonde. Il admire la tolérance religieuse des Anglais et le rationalisme pratique des philosophes dont il découvre les œuvres.

Rentré en France en 1729, il devient un écrivain reconnu grâce à une épopée, *La Henriade*, et au triomphe en 1732 de sa tragédie *Zaïre*. Mais la publication des *Lettres philosophiques,* en 1734, provoque un scandale. Une lettre de cachet ordonne son arrestation et son embastillement. Il se réfugie dans le château de Cirey, en Champagne, chez son amie la marquise du Châtelet. Il va connaître là une période heureuse et paisible, entièrement dévouée à l'étude des sciences, des lettres et des religions. *Micromégas*, composé à cette époque, reflète ce climat d'effervescence intellectuelle.

LA FRÉQUENTATION DES ROIS
ET LA PERSÉCUTION

L'arrivée au ministère de son ami le marquis d'Argenson et la protection de Mme de Pompadour lui permettent de rentrer en grâce auprès de Louis XV. D'Argenson l'utilise pour des missions diplomatiques. Mais victime de cabales et peu aimé de Louis XV, il est disgracié pour un mot malheureux et est obligé de quitter Paris. Il écrit alors *Zadig*, où il transpose ses mésaventures à la Cour.

La mort de Mme du Châtelet décide Voltaire à partir pour la Prusse et à entrer au service du roi Frédéric II. Il voit alors en lui le modèle du despote éclairé. C'est alors que paraît son grand ouvrage historique *Le Siècle de Louis XIV.* Mais Voltaire est vite déçu par Frédéric II qui considère la philosophie seulement comme un divertissement.

Il quitte précipitamment Berlin en 1753 et, toujours menacé, se réfugie à Genève, dans la propriété des *Délices.* Il croit y trouver enfin le calme et la tranquillité. Mais là encore, il est inquiété par les autorités. Engagé dans l'entreprise de l'*Encyclopédie* (célèbre ouvrage de vulgarisation scientifique et philosophique sous la direction de Diderot et d'Alembert), il subit les attaques dont sont alors victimes les philosophes des Lumières. Ses œuvres personnelles lui valent aussi des haines féroces. Le tremblement de terre de Lisbonne en 1755, qui fait plus de vingt mille morts, l'émeut profondément et le fait douter sur le sens de la destinée. Il connaît un moment de désespoir général que traduit *Candide*, qu'il rédige en 1758.

L'INFATIGABLE COMBATTANT
DES LUMIÈRES

À la fin de 1758, il achète le domaine de Ferney, en territoire français, mais près de la frontière suisse. Commence alors pour lui une période très féconde. Il reçoit des visiteurs venus de toute l'Europe et entretient une correspondance avec un grand nombre de personnages illustres. Il manifeste dans tous les domaines un dynamisme infatigable. Il rédige de nombreux ouvrages, parmi lesquels on peut citer le *Traité sur la tolérance* (1763), le *Dictionnaire philosophique* (1764), *L'Ingénu* (1767).

Mais l'essentiel de son ardeur, c'est au combat contre l'intolérance que le « patriarche de Ferney » le consacre. « Écrasons l'Infâme », telle est sa devise. Il harcèle inlassablement ses adversaires. Il lutte sans merci contre les abus du fanatisme religieux et de l'arbitraire politique et judiciaire. Pour cela, il ne cesse de rédiger des brochures, des articles et des pamphlets. Il obtient notamment la réhabilitation du protestant Calas, accusé sans preuve du meurtre de son fils pour un motif religieux. Mais il prend aussi la défense de Sirven et du chevalier de La Barre. Après un retour triomphal à Paris, au début du règne de Louis XVI, il meurt le 30 mai 1778.

2 | Les personnages dans *Zadig*

ZADIG

Un jeune homme parfait

Vivant à Babylone à une époque indéterminée, Zadig est comblé par la nature. Il est jeune, beau et riche. C'est un être foncièrement généreux, prédisposé au bonheur (chap. I). Il possède en outre, grâce à son éducation, des qualités morales qui font de lui un modèle d'humanité et un futur responsable politique. Il sait « modérer ses passions » ; il n'a pas le désir du pouvoir pour lui-même ; il sait comprendre la faiblesse des autres qu'il évite de railler inutilement et de mépriser. Lorsqu'il devient premier ministre du roi Moabdar, il fait « sentir à tout le monde le pouvoir sacré des lois » et ne fait « sentir à personne le poids de sa dignité » (chap. VI). Or, malgré toutes ces qualités, il ne va rencontrer que contrariétés et souffrances.

Une victime

Une prédisposition au bonheur ne suffit pas pour être heureux. Dès le premier chapitre, Zadig fait l'expérience d'une fracture entre l'idéal et la réalité, entre l'attitude vertueuse avec laquelle il appréhende la vie et la violence agressive du mal. C'est cet écart entre ce qui devrait être et ce qui existe réellement, que le roman va creuser et approfondir.

Le héros va aller de déceptions en déceptions, dans trois domaines principaux. L'*amour* d'abord : Sémire, sa fiancée l'abandonne. Azora, son épouse, est sur le point de lui couper le nez ; la seule femme qui soit digne de lui, Astarté, est l'épouse du roi de Babylone. La *philosophie*, ensuite : malgré ses connaissances et ses réflexions constantes sur la destinée humaine, il ne parvient pas à expliquer le sens du mal et à trouver par lui-même la voie de la sagesse. La vie telle qu'elle se déroule contredit constamment l'idée qu'il en a. Le *pouvoir*, enfin : par ses qualités de sagacité et d'équité, Zadig est destiné à assumer de très hautes fonctions politiques ; mais il est contrarié dans cette voie par la jalousie de ses rivaux.

Le héros d'un roman de formation

La confrontation entre une conscience pure et un monde corrompu, entre un personnage vertueux et l'omniprésence du mal, fait de Zadig le héros d'un roman de formation, d'un roman d'apprentissage. Ce type de roman décrit l'évolution d'un être jeune, qui, après des expériences et des épreuves douloureuses, prend peu à peu possession de lui-même et acquiert une identité. Comme plus tard Candide, Zadig va connaître toutes sortes de malheurs : la trahison, l'envie, l'exil, la prison, l'esclavage, le désespoir, le sentiment de l'absurdité de tout.

Son éducation passe, comme dans beaucoup de romans d'apprentissage, par le voyage et par l'errance. Le conte se présente ainsi comme une quête à la fois philosophique, amoureuse et politique. Grâce à ses malheurs et aux explications de l'ange Jesrad (chap. XVIII), Zadig va surtout apprendre à tenir compte du Mal, à comprendre que le Mal fait nécessairement partie de l'ordre de l'univers. Ces expériences vont ainsi le transformer : il va devenir un adulte, c'est-à-dire trouver une sagesse où l'idéal tient compte de la réalité des faits.

Un philosophe

À travers le personnage de Zadig, Voltaire a projeté une image exemplaire et idéalisée de lui-même. La formule littéraire du conte répond chez lui au besoin de faire le bilan de sa vie de philosophe, autrement dit de figurer l'écart qui se creuse entre ses hautes aspirations et les réalités décevantes de son existence. Les déboires de Zadig à la cour de Moabdar reflètent directement les nombreux ennuis que Voltaire a rencontrés à Versailles.

Zadig se conduit en adepte de la philosophie des Lumières[1] Comme son créateur, il s'adonne à l'étude des sciences de la nature (chap. III). Il se montre accueillant à « tous les arts » ; sa bibliothèque est « ouverte à tous les savants » (chap. IV). Mais surtout Zadig ne cesse de s'interroger philosophiquement sur le sens de sa vie et plus généralement sur celui de la destinée. On peut même dire que cette interrogation est le moteur principal de l'action.

N'allons pas cependant confondre Zadig et son créateur. *Zadig* est une fiction dont Voltaire se sert pour mieux formuler les interrogations qu'il se pose sur sa propre vie. Notons par exemple que Zadig est un personnage sérieux qui ne fait jamais preuve d'humour ou d'ironie ; il n'aime ni les « railleries » ni les « médisances » (chap. I). Or Voltaire aborde le monde essentiellement en humoriste et en ironiste.

LES AUTRES PERSONNAGES

Les autres personnages ne sont que des *fonctions*, réduites à une seule caractéristique, et destinées à mettre en valeur les différentes étapes de l'évolution du héros. On peut les classer en trois groupes, qui correspondent aux trois domaines d'apprentissage du héros : l'amour, le pouvoir, la philosophie.

▌Les femmes

Chacune d'elles figure un aspect du destin qui contrarie ou favorise Zadig : Sémire incarne la frivolité cruelle (chap. I) la jeune Cosrou et Azora, l'infidélité conjugale (chap. II) ; la femme d'Arimaze, la jalousie ; Missouf, le caprice et la versatilité féminine (chap. IX et XVI) ; Almona, la reconnaissance et le dévouement (chap. XI et XIII).

Astarté, l'épouse du roi Moabdar avant de devenir celle de Zadig, occupe une place plus importante. Véritablement digne des hautes qualités de Zadig, elle va succomber sans qu'elle s'en rende compte

---

[1]. On appelle philosophie des Lumières le grand mouvement intellectuel qui traverse le XVIIIᵉ siècle. Cette philosophie lutte pour construire une civilisation où l'homme puisse trouver le bonheur et la liberté. Fondée sur l'autorité de la raison et de l'expérience, elle s'oppose à l'obscurantisme et au fanatisme des religions, au despotisme et à l'arbitraire des monarchies absolues.

à son charme (chap. VIII). Victime de la jalousie de son mari, elle échappe de justesse à un empoisonnement avant de devenir la proie des circonstances (chap. VIII et XVI). Zadig n'aura pas d'autre but, au cours de son errance, que de la retrouver. Il a « l'esprit tout occupé de la malheureuse Astarté » (chap. XIV). Astarté, femme de lumière, astre (elle offre une armure blanche à son amant), apparaît comme l'étoile qui guide les pas de Zadig et donne une finalité à la narration.

Le roi et les courtisans de Babylone

Les enjeux politiques sont essentiels dans *Zadig*, puisque par ses qualités exceptionnelles, le héros est naturellement appelé à occuper les fonctions de premier ministre (chap. VI), puis de roi (chap. XIX). Tant que le roi Moabdar est marié à la sage Astarté et bénéficie des services avisés de son premier ministre Zadig, Babylone connaît la tranquillité et la prospérité. Mais la situation dégénère aussitôt que, poussé par la jalousie, le roi décide la mort de sa femme et de Zadig. La décadence est aggravée par son remariage avec Missouf, « la belle capricieuse » (chap. XVI). Désormais le roi devient un tyran qui sombre dans la folie, en même temps que Babylone est livrée à l'anarchie.

À la cour de Babylone, Zadig est constamment en butte aux intrigues de rivaux médiocres et fielleux. Comme les femmes, chacun représente symboliquement un défaut : l'archimage Yébor, « le plus sot des Chaldéens » figure le fanatisme (chap. IV) ; Arimaze, la méchanceté et l'envie (chap. IV) ; Itobad, la vanité, la jalousie et la bêtise (chap. XVII). Zadig ne peut compter que sur son ami Cador qui l'aide à confondre Azora (chap. II), à empêcher qu'il soit empalé (chap. IV), à quitter Babylone (chap. VIII), puis à y revenir (chap. XV).

Les personnages de rencontre

Au cours de ses pérégrinations, de nombreuses rencontres vont amener Zadig à réfléchir sur le sens de la vie et du bonheur. Clétofis, l'amant de Missouf, qu'il tue dans des circonstances absurdes, lui révèle brutalement l'incohérence des comportements humains (chap. IX). À Sétoc, le marchand arabe, il apprend les avantages d'une organisation rationnelle du travail. Il le détourne de son culte superstitieux pour les étoiles et convainc les membres de sa tribu de ne plus obliger les veuves à brûler avec leur mari (chap. X et XI). Il persuade un Égyptien, un Indien, un Chinois, un Grec et un Celte, réunis pour un souper, que les différentes religions ont un fond commun capable de réconcilier tout le monde (chap. XII). La rencontre avec Arbogad déstabilise tout son système de valeurs. Ce brigand étale en effet avec cynisme et bonne conscience un bonheur qui repose exclusivement sur le crime (chap. XIV). Le pêcheur, qu'il empêche de se suicider, lui montre comment des malheureux peuvent s'aider mutuellement à sortir de leur désespoir (chap. XV). Au seigneur Ogul, il enseigne les bienfaits « de la sobriété et de l'exercice » (chap. XVI). L'ange Jesrad enfin, qui prend l'apparence d'un ermite, fournit à Zadig la clef de la destinée, le fin mot de ses aventures. Il donne une explication unificatrice à ce qui lui est apparu jusque-là contradictoire et incohérent.

3 | La structure narrative de *Zadig*

LA MISE EN SCÈNE DE LA NARRATION

▌Le problème de l'énonciation

L'*énoncé* correspond à ce qui est matériellement dit, oralement ou par écrit ; l'*énonciation* désigne la situation dans laquelle un message est proféré. Dans *Zadig*, œuvre qui sous une apparence romanesque cache un propos critique et subversif, l'énonciation joue un rôle capital. Voltaire s'efforce ainsi de ne pas apparaître comme la source directe de l'énonciation. Pour cela, il accroît le plus possible la distance qui sépare l'auteur et le narrateur. L'*auteur* est la personne physique, en l'occurrence Voltaire, qui compose le livre ; le *narrateur*, en revanche, est l'être de papier, l'être fictif qui se présente dans le texte comme la source de l'énonciation.

Voltaire s'est même, pendant quelque temps, défendu d'être l'auteur de *Zadig*, paru en 1748 de manière anonyme. La première cause de cette attitude est qu'il considérait le conte comme une forme mineure par rapport à l'épopée et à la tragédie, seuls grands genres littéraires à ses yeux. La raison la plus importante est cependant liée à la censure. Conscient d'aller très loin dans la critique politique et religieuse, Voltaire sait qu'il s'expose aux représailles d'un pouvoir qui peut facilement le faire embastiller.

▌Le brouillage de l'énonciation

Le conte est précédé d'une *Épître dédicatoire* qui vise à décharger l'auteur de la responsabilité de l'écriture. Cette épître, qu'il attribue à Sadi, poète persan du XIIIe siècle, présente *Zadig* comme la traduction persane d'un livre arabe, lui-même traduit du chaldéen.

Soucieux de plaire à un public alors passionné par l'Orient, Voltaire donne extérieurement à son livre l'allure de ce qu'il appelle une *histoire orientale*. Même si ses contemporains ne furent pas longtemps dupes de cette mise en scène, il cherche à accréditer l'idée d'une véritable traduction d'un récit persan et donc à donner à sa fiction une apparence d'objectivité. C'est pourquoi il efface, à l'intérieur du conte, toute trace de présence du narrateur. Il utilise en particulier la forme neutre du récit à la troisième personne, qui rend la fiction plus autonome et confère un caractère plus objectif aux événements relatés.

Voltaire brouille encore les pistes avec la mise en place du cadre spatio-temporel de son histoire. Le nom de Babylone qui intervient dès la première phrase, évoque à la fois l'Antiquité, au temps de la splendeur de cette ville, mais aussi un Orient mythique et fabuleux. L'auteur cherche surtout à donner une impression d'éloignement et d'étrangeté, qui empêchera la vérification des faits et donnera plus de latitude à l'imaginaire. Il vise le même but en suggérant de manière floue l'époque à laquelle se situe l'action. S'agit-il du XIIIe siècle, période à laquelle vécut le poète Sadi, ou du XVe siècle, si l'on en croit la date indiquée au début de l'*Épître dédicatoire* ?

LA COMPOSITION DU RÉCIT

Zadig se compose de dix-neuf chapitres courts, où s'accumulent à un rythme endiablé de nombreux épisodes. On peut néanmoins détecter trois grandes phases dans l'organisation du récit.

La première se situe à Babylone (chap. I à VIII). Elle commence par la description d'un héros parfait, mais qui va peu à peu être contrarié dans tous ses projets, jusqu'à connaître l'exil. Le roman commence dans une atmosphère paradisiaque. Élevé dans un univers protégé, le héros aborde la vie avec ingénuité. Il lui paraît naturel *a priori* que les autres hommes partagent ses valeurs. Ce bonheur cesse dès le deuxième paragraphe du premier chapitre, alors qu'il s'apprête à épouser Sémire. Commence alors pour Zadig une longue descente en enfer qui se conclut, après une cascade de péripéties, par sa fuite précipitée de Babylone (chap. VIII).

La deuxième partie du roman est constituée par une errance à travers l'Orient (chap. x à xvi). Au cours de cette phase capitale, le héros vit une série d'expériences qui le font mûrir. Loin de sa patrie, Babylone, et séparé de la femme qu'il aime, Astarté, il accomplit un voyage initiatique. Au cours de ce voyage, il touche le fond du désespoir. La vie lui semble absurde et incohérente, entièrement contraire à ses valeurs, puisque les êtres justes sont malheureux, tandis que les fripons prospèrent. Ses retrouvailles avec Astarté (chap. xvi) amorcent une reconquête de son bonheur initial.

La dernière partie du roman décrit le retour de Zadig à Babylone (chap. xvii à xix). Son accession au trône et son mariage avec Astarté ouvrent une période de félicité pour Babylone. Il ne s'agit pourtant pas d'un retour pur et simple au bonheur naïf décrit au début du roman. Certes Zadig n'a pas transigé sur ses valeurs au cours de l'histoire, il ne s'est pas corrompu au contact du vice et du malheur, mais il a appris à accepter la vie telle qu'elle est. Il a substitué à sa vision pure, mais ingénue, de l'existence, une vision plus conflictuelle, où le bien est toujours le résultat d'une conquête sur le mal. En somme, il est devenu adulte.

Ces trois phases correspondent à l'un des schémas les plus fréquents dans les romans de formation : arrachement à un état initial ; processus de transformation ; conquête d'une position qui marque la fin de l'apprentissage.

LA PRÉDOMINANCE DE L'ACTION

▌Les renversements de situation

Le rythme du récit dans *Zadig* est vif et trépidant. Malgré la brièveté du livre, les épisodes se succèdent rapidement. L'intérêt de l'action est relancé par de continuels renversements de situations.

Au début du chapitre iv, Zadig, encore sous le coup du procès consécutif à ses mésaventures avec la chienne de la reine et le cheval du roi, retrouve la tranquillité dans « une maison ornée avec goût » où il reçoit des amis et des savants. Mais à peine a-t-il expliqué que la querelle sur le fait de manger ou non du griffon est vaine, qu'il s'attire l'hostilité de l'archimage Yébor qui veut le faire empaler. Sauvé de justesse par son ami Cador, il recommence à mener une vie studieuse et heureuse. Le voilà cependant de nouveau jeté en prison, jugé et conduit au supplice à cause d'une méprise exploitée par un envieux. Il échappe cependant encore à la mort grâce à un hasard et devient le favori du roi et de la reine. Ce chapitre où se bousculent les aventures, où l'on passe sans arrêt du positif au négatif, du bonheur au malheur, est exemplaire de la conduite générale de l'action à travers tout le roman.

La condensation des épisodes

Le primat de l'action se traduit en outre souvent, dans la narration, par un resserrement extrême des événements. Les circonstances secondaires disparaissent ; seuls sont conservés les faits importants. Ainsi dans le chapitre III, Zadig qui vient d'être injustement victime d'un procès, pour avoir mis sa science au service des autres, décide à l'avenir de ne plus se mêler de ce qui ne le regarde pas. Mal lui en prend. En quelques lignes, le voilà de nouveau appréhendé et condamné :

> Un prisonnier d'État s'échappa ; il passa sous les fenêtres de sa maison. On interrogea Zadig, il ne répondit rien ; mais on lui prouva qu'il avait regardé par la fenêtre. Il fut condamné pour ce crime à cinq cents onces d'or […].

Ce passage est typique du style tonique et alerte du conte. Tout concourt à l'accélération du tempo. Les phrases sont courtes. La coordination est préférée à la subordination : les faits sont simplement juxtaposés, sans expression d'un lien causal. L'utilisation fréquente du pronom impersonnel « on » dispense de donner des précisions sur les acteurs pour concentrer l'attention sur leurs actes. La brièveté de chaque proposition indépendante met surtout en valeur le verbe, c'est-à-dire l'élément moteur de la phrase.

Le présent de narration

Zadig se présente comme un récit au passé où dominent l'imparfait, qui décrit un état ou une habitude, et le passé simple, qui exprime une action ponctuelle ou le surgissement d'une péripétie :

> Le matin, sa bibliothèque était ouverte à tous les savants ; le soir, sa table l'était à la bonne compagnie ; mais il connut bientôt combien les savants sont dangereux. Il s'éleva une grande dispute sur une loi de Zoroastre qui défendait de manger du griffon (chap. IV).

Mais Voltaire peut encore accélérer le rythme de l'action en passant du passé simple et de l'imparfait au présent de narration. Bien qu'il rapporte des faits passés, le présent de narration donne aux faits décrits plus de vie et d'intensité. Un combat s'engage entre Zadig et un amant qui accable de coups une femme :

> En disant ces paroles, il laisse la dame qu'il tenait d'une main par les cheveux, et, prenant sa lance, il veut en percer l'étranger. Celui-ci, qui était de sang-froid, évita aisément le coup d'un furieux. Il se saisit de la lance près du fer dont elle est armée. L'un veut la retirer, l'autre l'arracher (chap. IX).

LA SUSPENSION DE LA NARRATION

Action et réflexion

Les pauses interviennent dans le déroulement de la narration, notamment lorsqu'un dialogue s'engage. Zadig converse avec Almona, à propos de la coutume du bûcher (chap. XI); avec des marchands, à propos de la religion (chap. XII); avec le brigand (chap. XIV), le pêcheur (chap. XV) et l'ermite (chap. XVIII), sur le sens de la destinée. Dans ces passages, la narration fait place à la réflexion sur le sens des événements sur leur absurdité et leur incohérence. Ce sont des contrepoints philosophiques qui mettent en valeur la démarche avant tout réflexive du héros. À la narration qu, es. centrifuge[1], qui dépouille la vie de son sens et de sa logique

---

1. Un mouvement centrifuge éloigne du centre, par opposition à un mouvement centripède qui en rapproche.

s'opposent les moments de réflexion et de dialogue, qui, par leur démarche centripète, tentent de redonner un sens à ce qui apparaît absurde. C'est bien sûr la discussion finale avec l'ange Jesrad, déguisé en ermite, qui apportera une solution aux interrogations du héros (chap. xix).

▌Les changements de focalisation

Dans le reste du conte, Zadig ne semble pas apte à comprendre ce qui lui arrive comme ce qui arrive aux autres. Pour exprimer ce sentiment d'incohérence et d'absurdité avec lequel certains personnages ressentent leur vie, Voltaire joue avec habileté des changements de points de vue, du passage de la focalisation zéro à la focalisation interne.

La focalisation zéro désigne le point de vue omniscient d'un narrateur extérieur à l'action, qui sait tout des événements et des personnages. C'est le plus souvent la focalisation zéro qui domine dans *Zadig* : le narrateur connaît tous les tenants et les aboutissants de l'action, tous les mobiles qui font agir secrètement les personnages ; c'est lui qui tient les fils de l'intrigue, qui les noue et les dénoue.

Parfois cependant, lorsqu'un personnage prend la parole et décrit ce qui lui arrive, lorsqu'il exprime son point de vue subjectif et la manière dont il perçoit personnellement l'existence, on passe à la focalisation interne. Selon un procédé qu'il emploiera plus tard dans *Candide*, le passage à la focalisation interne prend la forme d'un récit où un personnage raconte sa vie. C'est une façon pour Voltaire *de mettre en abyme* l'histoire du héros, de la raconter de nouveau par personne interposée. L'histoire du pêcheur, au chapitre xv, est une sorte de condensé des propres déboires de Zadig. Il en va de même quand Astarté raconte ses malheurs (chap. xvi).

▌Les récapitulations de Zadig

La focalisation interne est utilisée de manière tout à fait originale dans le cas de Zadig. Celui-ci en effet, dans plusieurs chapitres, fait un résumé de ses malheurs sous la forme d'une récapitulation (chap. iii, viii, x, xiii). Accablé par le malheur, incapable de comprendre le sens de ce qui lui arrive, il dresse un constat déprimant de sa vie :

> Grand Dieu ; dit-il en lui-même, qu'on est à plaindre quand on se promène dans un bois où la chienne de la reine et le cheval du roi ont passé ! qu'il est dangereux de se mettre à la fenêtre ! et qu'il est difficile d'être heureux dans cette vie ! (chap. III).

L'intensité dramatique de cette récapitulation est accrue par la juxtaposition d'énoncés en apparence contradictoires : « qu'on est à plaindre quand on se promène dans un bois » ; « qu'il est dangereux de se mettre à la fenêtre ! »

Le désespoir du protagoniste augmente à mesure que sa situation empire. Le bilan s'accompagne bientôt de récriminations contre la destinée :

> Qu'est-ce donc que la vie humaine ? Ô vertu ! à quoi m'avez-vous servi ? (chap. VIII).

Plus tard, devenu esclave de Sétoc, il procède à un nouveau bilan déprimant. Outre l'effet d'accumulation, l'absurdité de son existence est cette fois-ci mise en valeur par la disproportion entre les malheurs qui lui sont arrivés et le caractère dérisoire des motifs qui les ont causés :

> J'ai été condamné à l'amende pour avoir vu passer une chienne ; j'ai pensé être empalé pour un griffon ; j'ai été envoyé au supplice parce que j'avais fait des vers à la louange du roi ; j'ai été sur le point d'être étranglé parce que la reine avait des rubans jaunes ; et me voici esclave avec toi parce qu'un brutal a battu sa maîtresse (chap. X).

C'est cette perversion du rapport de cause qui exprime le désespoir du héros, aveugle sur les forces qui meuvent en profondeur sa destinée.

On retrouve, à la fin du chapitre XIII, la même expression brute et raccourcie, soulignée ici par les exclamations, de ce sentiment d'incohérence et d'injustice. La récurrence de ces récapitulations, parfois dans les mêmes termes, en fait, d'un chapitre à l'autre, un leitmotiv de la destinée. Elle met en évidence les questions fondamentales que Voltaire veut poser au moyen de sa fiction : peut-on être heureux ? pourquoi tant d'injustices ? quel est le sens de la vie ?

4 | *Zadig* et le conte oriental

Les lecteurs du temps de Voltaire se montrent très friands de tout ce qui a trait à l'Orient. Beaucoup de traductions, de récits de voyage et de romans dans le goût oriental alimentent cet engouement, comme par exemple les *Lettres persanes* (1721) de Montesquieu ou la traduction (de 1704 à 1717), par Antoine Galland, des *Mille et Une Nuits*. Cédant à cette mode, Voltaire donne comme sous-titre à *Zadig* : *Histoire orientale*. Mais s'il utilise l'Orient comme un décor apte à séduire ses contemporains, il ne compose pas un véritable conte des *Mille et Une Nuits*. Il ne cherche pas à dépayser le lecteur avec les séductions propres à ce type de merveilleux. Il se livre au contraire à une vive critique de l'imaginaire oriental.

ZADIG ET *LES MILLE ET UNE NUITS*

Le problème de l'énonciation

Zadig offre ainsi toutes les apparences d'un récit des *Mille et Une Nuits*. L'action se déroule dans un passé indéterminé (entre le XIIIe et le XVe siècle) et dans des lieux qui connotent aussitôt la splendeur orientale : Babylone, l'Euphrate, l'Égypte, le désert d'Arabie, Bassora. À tous les noms des personnages, Voltaire s'est efforcé de donner une consonance qui rappelle l'atmosphère des récits de Shéhérazade, l'héroïne des *Mille et Une Nuits*. Il utilise en outre, pour accroître la couleur exotique de son histoire, des expressions précises et dépaysantes.

Les coutumes religieuses de l'Orient sont évoquées avec force détails. À Babylone, on vit avec les préceptes du « livre du Zend » de Zoroastre, le célèbre prophète iranien, autrement appelé Zarathoustra, (chap. I, III, IV, VI, VII, XVI) ; on s'en remet à « Osromade », le principe du bien (chap. III, XVI, XVIII) ; on rend un culte à Mithra, le dieu du Soleil (chap. VII). On croise des prêtres qui sont derviches *(Épître dédicatoire)*, mages (chap. V, VI, XVII), archimages (chap. VII), brahmanes (chap. XI). Voltaire évoque aussi « l'ange Asraël » (chap. II) et fait apparaître « l'ange Jesrad » (chap. XVIII). En ce qui concerne les magistratures politiques et judiciaires, on rencontre des vizirs (chap. VI), des satrapes (chap. V), un « grand desterham » (chap. III). Voltaire s'amuse aussi à recréer l'atmosphère des palais orientaux avec ses esclaves (chap. VIII), ses eunuques (chap. III), son sérail (chap. VII), ses nains (chap. VIII), ses sofas (chap. XIII).

Il s'efforce par ailleurs de suggérer l'atmosphère féerique des contes. On parle dans *Zadig* du « griffon », animal mythique, moitié aigle, moitié lion (chap. IV) ; on y recherche le « basilic », serpent fabuleux que seules les femmes peuvent regarder sans danger (chap. XVI). La statue qui parle (chap. XVI) et l'apparition de l'ange Jesrad à la fin du livre relèvent tout à fait du climat de surnaturel et d'enchantement des contes de Shéhérazade. Le voyageur errant que devient Zadig, le brigand (chap. XIV), le pêcheur (chap. XV), l'ermite (chap. XVIII), sont des personnages que l'on rencontre fréquemment dans *Les Mille et Une Nuits*. À ce livre, Voltaire emprunte aussi le goût de l'apologue, petite fable qui vise à faire passer une leçon morale. Chaque chapitre peut ainsi être considéré comme un apologue, par sa brièveté, par son caractère de démonstration et par son titre court : « Le borgne », « Le nez », « Le chien et le cheval », « L'envieux », etc. Zadig use de cette forme d'expression pour convaincre Sétoc qu'il veut guérir de la superstition (chap. XI).

Zadig, héros oriental

Les Mille et Une Nuits présentent une vision de la vie comparable sous certains aspects aux propres réflexions de Voltaire sur le sens de la destinée. Elles soulignent sans arrêt la précarité de la condition humaine et la fragilité extrême des moments de bonheur. Sindbad le marin connaît certes finalement la prospérité, mais c'est après avoir traversé de nombreuses souffrances, dues aux caprices de la destinée. La vie est dépeinte dans ces contes comme une suite de retournements subits, de passages abrupts de la fortune à la disgrâce, de la félicité au désespoir, souvent à cause de détails infimes ou futiles. Mais il faut aussi compter avec la méchanceté et la jalousie des autres. Dans *Les Mille et Une Nuits*, l'être heureux va tôt ou tard devoir affronter les menées hostiles d'un envieux.

Les héros de ces contes font cependant preuve d'une ingéniosité extraordinaire pour se tirer de situations inextricables et construire les conditions de leur prospérité. C'est en pensant à eux que Voltaire décrit l'adresse avec laquelle Zadig, devenu esclave, se fait affranchir par son maître Sétoc et réussit à gagner son amitié (chap. x). Comme eux, le héros de Voltaire possède une intelligence qui se caractérise par une perspicacité et une sagacité remarquables. Tout le monde admire son « profond et subtil discernement » (chap. iii), « la subtilité de son génie » (chap. vii). À partir de quelques indices, Zadig est capable de décrire le cheval du roi et la chienne de la reine (chap. iii). Et c'est naturellement que son esprit vif et astucieux le rend maître dans l'art de déchiffrer les énigmes (chap. xix).

LA CRITIQUE DE L'IMAGINAIRE ORIENTAL

L'opposition de la raison et de l'imaginaire

Voltaire, esprit positif et rationaliste, avant tout soucieux de justesse et de vérité, se montre très méfiant à l'égard de la fantaisie et du merveilleux, surtout lorsqu'ils sont poussés à un grand degré d'extravagance comme dans le conte oriental. Ce type de récit relève à ses yeux d'un usage excessif et dangereux de l'imagination, qui peut mettre en péril l'exercice de la raison. Pour Voltaire, philosophe des Lumières, la raison doit découvrir la vérité en dissipant les ténèbres de l'irrationnel. Elle doit élucider ce qui apparaît d'abord obscur et confus, ce qui relève de l'imaginaire.

Or dans *Zadig*, l'imaginaire se confond avec le romanesque du conte oriental. Ce romanesque représente l'opacité même de la vie, que tente de contrecarrer les efforts d'élucidation du héros. Les concessions de Voltaire à l'imagination et aux séductions orientales ne sont donc que provisoires. Le merveilleux proprement dit est du reste réduit dans *Zadig* à l'apparition de l'ange Jesrad. Voltaire ne fait pas intervenir les enchantements surnaturels qui abondent dans les contes arabes. Chez lui, ni fées, ni génies, ni tapis volants, ni lampes magiques, ni sésame, ni métamorphoses, ni sortilèges.

Les songes par exemple sont, dans les contes orientaux, l'occasion de descriptions où règne une invraisemblance totale. Celui du héros à la fin du chapitre VII, simple et limpide, n'offre aucune difficulté de compréhension et d'interprétation. L'histoire d'Ogul (chap. XVI), dont le canevas provient directement des *Mille et Une Nuits*, est très révélatrice par ailleurs de la manière avec laquelle Voltaire circonscrit le merveilleux. Il s'abandonne à la fable, mais c'est pour mieux rétablir ensuite les exigences de la raison pure. Au début du chapitre, Voltaire semble céder aux agréments du conte oriental. Zadig rencontre des femmes en quête d'un « basilic », animal fabuleux, qui, une fois « cuit dans l'eau rose », permettra de guérir leur maître. Mais c'est lui qui finalement guérira Ogul, d'une façon qui n'aura rien de miraculeux. Il lui confectionnera un ballon et lui apprendra les vertus de l'exercice physique. Méthode toute naturelle, qui n'a aucun rapport avec les guérisons miraculeuses des *Mille et Une Nuits*, à base d'incantations et de rites mystérieux !

▌Zadig, être de clarté et de raison

Zadig, comme Voltaire, ne croit pas aux mystères et aux superstitions qui paralysent et terrifient la vie des hommes. Le « basilic » ou le « griffon » n'existent pas dans la nature. Les perroquets, pour « un bon physicien », ne sont en aucun cas des « prophètes » (chap. VI). De même les statues ne parlent pas ; il faut que Moabdar ait perdu tout son bon sens pour se laisser tromper par le stratagème d'Astarté, cachée dans une statue (chap. XVI). Ayant pour « principal talent [...] de démêler la vérité, que tous les hommes cherchent à obscurcir » (chap. VI), Zadig est né pour éclaircir les mystères, dissiper les énigmes et mettre fin aux superstitions. Or l'imaginaire oriental se nourrit de mystères, d'énigmes et de superstitions.

Être de clarté et de raison, Zadig passe son temps à mettre fin à des querelles et à des comportements qui se fondent sur des fantasmagories : faut-il « manger du griffon « (chap. IV) ? faut-il entrer dans le temple de Mithra du pied gauche ou du pied droit ? faut-il prier Dieu en se tournant « vers l'orient d'hiver » ou « vers le couchant d'été » (chap. VII) ? faut-il que les veuves soient brûlées avec leur mari (chap. XI) ? quel est le véritable Dieu (chap. XII) ? À chaque fois, Zadig réagit en termes de bon sens et de clarté.

Le merveilleux et l'exotisme de l'Orient constituent donc pour le protagoniste un obstacle à son bonheur et une entrave à l'exercice de sa raison. Plus la vie de Zadig se complique et s'obscurcit, plus le pittoresque oriental se fait envahissant, précis et menaçant. Plus le héros se désespère, plus le décor s'orientalise. La fureur de Moabdar contre Zadig et Astarté prend ainsi la forme d'une mise en scène, où s'accumulent les éléments traditionnels du palais oriental devenu lieu de vengeance et de conspiration : « un impitoyable eunuque », « un petit nain qui était muet, mais qui n'était pas sourd », la vision de la reine « expirante entre les bras de ses femmes » et de « Zadig étranglé à ses pieds » (chap. VIII).

Mais c'est surtout au cours des chapitres consacrés à l'errance à travers l'Égypte et l'Arabie, que l'imaginaire oriental prolifère : pierre qui porte témoignage (chap. X), adoration de « l'armée céleste » des astres (chap. XI), « bûcher du veuvage » (chap. XI), séjour à Bassora, ville essentielle dans *Les Mille et Une Nuits*, rencontres avec le brigand Arbogad (chap. XIV), avec le pêcheur infortuné (chap. XV), puis avec le seigneur malade (chap. XVI), personnages traditionnels dans les contes arabes. Le décor oriental est estompé en revanche, chaque fois que Zadig connaît le bonheur et la paix (chap. I, IV et XIX).

Missouf et Astarté

L'opposition fondamentale entre l'ordre de la raison et les désordres de l'extravagance est symbolisée par les deux reines qui se succèdent à Babylone : Astarté et Missouf. Astarté, dont le nom consonne avec le mot « astre », est l'appellation d'une déesse du ciel chez certains peuples sémitiques. Elle est dans le roman un principe de lumière et d'harmonie. Zadig, héros de lumière, dont la vertu essentielle est de démêler ce qui est obscur, ne pouvait se fixer un autre but dans sa quête amoureuse.

Missouf en revanche, nous explique l'auteur, porte un nom qui « signifie en langue égyptienne *la belle capricieuse* ». Elle symbolise le désordre, la désorganisation, les débordements de l'imagination orientale. La première fois que Zadig la rencontre, elle montre déjà l'incohérence de son comportement. Zadig la sauve des coups d'un amant brutal, mais au lieu de remercier son sauveur, elle s'en prend violemment à lui, avant, quelques instants plus tard, d'implorer de nouveau son aide (chap. IX). Lorsqu'elle devient reine, elle se livre « sans crainte à toutes les folies de son imagination ». Elle ordonne à son grand écuyer

> de lui faire une tourte de confitures. Le grand écuyer eut beau lui représenter qu'il n'était point pâtissier, il fallut qu'il fît la tourte ; et on le chassa parce qu'elle était trop brûlée (chap. XVI).

Tant que le roi Moabdar est marié avec Astarté, il demeure un « assez honnête homme ». Mais le jour où il veut « faire mourir une femme raisonnable pour épouser une extravagante », alors il devient un tyran, sombre dans la folie et plonge Babylone dans l'anarchie. La paix et la prospérité ne reviendront qu'au moment où Zadig et Astarté deviendront roi et reine. Ils laisseront alors « la belle capricieuse Missouf courir le monde » (chap. XIX), c'est-à-dire symboliser l'errance et la confusion, dont les deux héros ont eu tant de mal à sortir.

▎« Style oriental » et « style de raison »

On retrouve sur le plan du style et de l'expression l'opposition motrice entre la raison et l'extravagance. Arimaze, l'envieux, ennemi juré du héros, lui reproche de ne pas avoir « le bon style oriental ». Et Voltaire d'ajouter : « Zadig se contentait d'avoir le style de la raison » (chap. VII). Pour Voltaire, les histoires merveilleuses dont raffolent les « sultanes » sont « des contes sans raison et qui ne signifient rien »

(Épître dédicatoire). Il n'a cessé de se moquer du style oriental qu'il trouve aussi bien dans *Les Mille et Une Nuits* que dans le Coran ou la Bible. Il en critique surtout les métaphores obscures, emphatiques et incohérentes. Pour lui, merveilleux oriental, superstition religieuse et mauvais goût esthétique vont de pair. Rien ne choque plus Voltaire que de parler d'une manière énigmatique et alambiquée, d'entasser les images décousues qui embrouillent l'effort de compréhension et retardent la communication.

Dans *Zadig*, il prend plaisir à pasticher ce style, en exagérant, non sans mauvaise foi, ses défauts. Ainsi au moment où Almona séduit le vieux pontife :

> Alors elle laissa voir le sein le plus charmant que la nature eût jamais formé. Un bouton de rose sur une pomme d'ivoire n'eût paru auprès que de la garance[1] sur du buis, et les agneaux sortant du lavoir auraient semblé d'un jaune brun (chap. XIII).

Zadig, lui, pratique un style simple et naturel, dénué d'emphase et d'obscurité. C'est précisément ce que lui reprochent ses détracteurs. Quand Zadig a fini de montrer « que le Dieu du ciel et de la terre [...] ne fait pas plus de cas de la jambe gauche que de la jambe droite » pour « entrer dans le temple de Mithra », ils « prétendirent que dans son discours il n'y avait pas assez de figures, qu'il n'avait pas fait assez danser les montagnes et les collines ». « Il est sec et sans génie », disaient-ils : « On ne voit chez lui ni la mer s'enfuir, ni les étoiles tomber, ni le soleil se fondre comme de la cire » (chap. VII).

Pour Voltaire comme pour Zadig, la lutte contre l'obscurantisme et le fanatisme passe d'abord par un effort pour clarifier son langage, de manière à ce que les hommes puissent rapidement se comprendre et communiquer. Un langage obscur risque toujours de devenir un moyen d'oppression.

---

1. *Garance* : plante qui fournit une matière colorante rouge.

5 | *Zadig* et la question du bonheur

Zadig traite d'une question qui hante Voltaire, la question du bonheur. Peut-on être heureux sur terre ? Comment ? Le mal est-il un obstacle fatal au bonheur ? Le roman s'ouvre sur une scène de félicité totale. Doué de tous les avantages et de toutes les grâces, le héros « crut qu'il pouvait être heureux » (chap. I). Mais Zadig est un idéaliste. Et s'il finit, à l'extrême fin du livre, par conquérir vraiment le bonheur, il doit d'abord faire l'expérience cruelle de la désillusion et du désespoir. Au cours de son apprentissage, trois illusions s'effondrent successivement, en brisant son bonheur : l'illusion amoureuse, l'illusion du savoir, l'illusion sociale et politique.

L'ILLUSION AMOUREUSE

L'impossibilité d'un bonheur stable

Zadig se déroule sur une période de temps assez longue, entre le départ et le retour du héros à Babylone. Cette structure chronologique permet à Voltaire de représenter les effets maléfiques du temps qui passe. Le bonheur n'est pas un état stable et définitif. Il a pour premier ennemi l'altération qu'apportent la durée et le changement. Le roman commence comme un conte de fées :

> Au temps du roi Moabdar il y avait à Babylone un jeune homme nommé Zadig [...] (chap. I).

Le style très fluide, qui domine au début, et les imparfaits à valeur durative expriment un état de plénitude et d'innocence. Zadig vit dans une sorte de rêve, où tout répond à ses désirs. Avec Sémire, il connaît un amour qui couronne ce bonheur.

Mais le temps destructeur et la réalité du mal font bientôt irruption dans cette harmonie initiale

> Ils touchaient au moment fortuné qui allait les unir, lorsque, se promenant ensemble vers une porte de Babylone, sous les palmiers qui ornaient le rivage de l'Euphrate, ils virent venir à eux des hommes armés de sabres et de flèches.

La conjonction de temps « lorsque » introduit une rupture soudaine et durable. Elle fait basculer l'idylle dans le cauchemar. Les « palmiers » et le « rivage de l'Euphrate » qui figuraient le paradis, laissent place aux « sabres « et aux « flèches » symboles de violence et d'agressivité. Aux imparfaits qui traduisent une temporalité calme et sans accrocs (« touchaient », « allait », « ornaient ») succèdent la tension et le drame sous la forme du passé simple (« virent »). C'est ainsi que s'effondre le monde paradisiaque dans lequel vivait Zadig. Il ne connaîtra plus désormais l'innocence de l'enfance et l'harmonie d'un univers protégé.

La dégradation de l'amour

L'amour exprime dès le début du roman les effets maléfiques du temps qui détruit l'idéal. Même l'amour le plus absolu, celui qui repose sur la communion parfaite entre deux êtres, n'échappe pas à la dégradation et à l'évolution inévitable des individus. Le mariage avec Sémire, aboutissement des rêves de Zadig, devait précisément inscrire l'amour dans la durée.

Mais le temps empêche que se réalise la perfection de l'amour, c'est-à-dire la fidélité. Tel est le thème des deux premiers chapitres. Sémire éprouve un amour, que rien ne paraît pouvoir dissoudre. Passion éphémère pourtant, puisque Sémire abandonne Zadig et se marie avec Orcan (chap. I).

Zadig pense alors trouver le bonheur en épousant Azora. Mais on fait croire à la jeune épouse que son mari est mort. Elle réagit d'abord avec désespoir ; très vite cependant elle se console avec Cador, l'ami de Zadig :

> Le soir, Cador lui demanda la permission de lui parler, et ils pleurèrent tous les deux. Le lendemain, ils pleurèrent moins, et dînèrent ensemble (chap. II).

On retrouve dans cette seconde expérience sentimentale le même schéma que dans l'aventure avec Sémire. Dans les deux cas, l'accélération du récit symbolise la dégradation inévitable de l'amour, sous l'effet de l'égoïsme et de la frivolité des êtres.

La première abdication de Zadig au contact de la vie s'effectue donc sur le plan sentimental. Il découvre que la fidélité est une illusion. Après « la lune de miel « vient « la lune de l'absinthe[1] » (chap. III).

L'ILLUSION DU SAVOIR

▌Le refuge de la science

Après sa déconvenue amoureuse, Zadig tente de trouver « son bonheur dans l'étude de la nature » (chap. III). Il veut devenir savant et « philosophe » (chap. III). Grâce à l'étude des sciences, Zadig cherche à se replier sur lui-même, à se mettre à l'abri des agressions du monde extérieur. Il s'installe pour cela « dans une maison de campagne sur les bords de l'Euphrate », qui devient le symbole du jardin intérieur dans lequel il se retire. À l'image de Voltaire lui-même lorsqu'il séjournait à Cirey, Zadig devient un savant parfait dans l'esprit de la philosophie des Lumières[2]. Sa méthode, fondée sur l'empirisme[3], fait de l'observation scrupuleuse des phénomènes de la nature, la condition du progrès en matière scientifique. Cette méthode très rigoureuse apparaît nettement quand il se défend devant les juges d'avoir dérobé « le chien de la reine » et « le cheval du roi » (chap. III).

▌Les dangers de la science

Ce « profond et subtil discernement » (chap. III) n'empêche cependant pas Zadig de connaître les pires ennuis. Loin d'être un refuge contre les tracas du monde et de lui apporter la tranquillité, le goût de l'étude le met dans des situations périlleuses. Accusé d'abord d'avoir volé le cheval du roi et la chienne de la reine pour en

---

1. *Absinthe* : plante aromatique et amère.
2. Sur la philosophie des Lumières, voir note p. 29.
3. *Empirisme* : méthode de pensée qui ne s'appuie que sur les données de l'expérience concrète, afin de dissiper les erreurs auxquelles conduisent les préjugés.

avoir parlé avec tant de précision, on lui reproche bientôt de ne pas avoir collaboré avec des hommes partis à la recherche d'un « prisonnier d'État » (chap. III). Zadig apprend ainsi qu'il peut être dangereux d'être savant, d'examiner, de réfléchir, c'est-à-dire d'exercer son esprit critique.

Le symbolisme du borgne

Zadig est en fait accusé par ses juges et par les détenteurs de l'autorité d'avoir voulu trop voir. Les lumières de la science et de la raison trouvent sur leur chemin ceux qui ont intérêt à ce que le plus grand nombre demeure dans l'ignorance et dans l'obscurantisme. Or Zadig est décrit comme un être de lumière et d'élucidation. Il aime Astarté, symbole de clarté. Au cours du tournoi, il porte une armure de « couleur blanche » (chap. XVII). Né pour « démêler la vérité, que tous les hommes cherchent à obscurcir » (chap. VI), il éclaircit ce qui est confus ou délibérément embrouillé (chap. VI et X), combat la superstition (chap. XI) et dissipe les énigmes (chap. XIX). Or Zadig, qui fait reposer une partie de son bonheur sur l'excellence de sa vue et la lucidité de son esprit, manque de perdre un œil, dans le premier chapitre intitulé de manière très révélatrice « Le borgne ».

Le risque de devenir borgne symbolise très fortement les forces de l'obscurantisme, ennemies de la clarté et de la vérité. Il exprime la menace qui va peser pendant tout le conte sur Zadig. Faut-il ou non manger du griffon, animal qui n'existe pas ? À cette question, le héros répond avec un bon sens désarmant :

> S'il y a des griffons, n'en mangeons point ; s'il n'y en a point, nous en mangerons encore moins […] (chap. IV).

Mais le discours de l'évidence, c'est-à-dire de l'esprit qui « voit » la vérité, est constamment en butte aux manœuvres d'individus sots et fanatiques. C'est ainsi que l'archimage Yébor, à cause des griffons, veut faire « empaler Zadig ».

La science ne conduit donc pas au bonheur. Découragé par la mésaventure des griffons, le jeune homme s'écrie :

> À quoi tient le bonheur ! tout me persécute dans ce monde, jusqu'aux êtres qui n'existent pas (chap. IV).

▌Les méfaits de l'envie

Zadig croit enfin pouvoir mettre facilement ses talents au service des autres. Dans le domaine privé, il peut ainsi, pour se consoler de ses malheurs amoureux et scientifiques, mettre à la disposition des « plus honnêtes gens » et des « dames les plus aimables », « une maison ornée avec goût, où il rassemblait tous les arts et tous les plaisirs » (chap. IV). Grâce à sa fortune personnelle, Zadig tente de recréer un havre de paix, où il peut exercer en toute quiétude ses dons pour la convivialité et l'extrême raffinement de la civilisation (chap. IV). Grâce à cela, il devient un personnage très en vue à Babylone.

Mais une fois encore, Zadig va connaître l'échec. Son bonheur, fondé sur son charme personnel et sur la reconnaissance par les autres de ses mérites, ignore de manière utopique le sentiment qui gouverne très souvent les rapports sociaux, c'est-à-dire l'envie. Dès qu'un être sort de l'ordinaire, devient pour les autres une référence, exerce sans entraves sa capacité d'agir, il suscite la jalousie et l'aigreur d'une partie de ses contemporains. Pour Voltaire, lui-même en butte à des ennemis jaloux de son succès, l'envie est le symbole du mal social, qui promeut les médiocres au détriment des talents authentiques. Fondée sur la haine, l'envie tente de détruire chez l'autre ce qu'elle ne peut obtenir par elle-même.

Elle est incarnée dans le roman par Arimaze (chap. IV). Le nom d'*Arimaze* n'est pas choisi au hasard. Il est forgé à partir d'*Ahriman*, qui, dans la philosophie de Zoroastre, incarne le principe du mal ; il s'oppose au principe du bien, *Ohrmazd*, que Voltaire invoque souvent dans *Zadig* sous le nom d'*Orosmade*. Zadig, dont la règle de conduite est la recherche du bien, a pour ainsi dire engendré, avec le personnage d'Arimaze, une contrepartie diabolique :

> Cet homme, qu'on appelait l'Envieux dans Babylone, voulut perdre Zadig, parce qu'on l'appelait l'Heureux (chap. IV).

Les vicissitudes de la Cour

À la suite d'un renversement de situation, qui a déjoué les intrigues d'Arimaze, Zadig devient le conseiller (chap. IV), puis le premier ministre du roi Moabdar (chap. VI). Il peut ainsi mettre au service des Babyloniens ses hautes conceptions de pouvoir politique et judiciaire. Voltaire transpose dans ces épisodes ses propres expériences au service de Louis XV, puis du roi de Prusse Frédéric II. Il y exprime son idéal du ministre philosophe, travaillant à l'instauration d'une monarchie éclairée. Inaccessible à l'envie et à la flatterie, le véritable conseiller du roi doit se montrer seulement préoccupé de justice et de bien public.

Une fois premier ministre, Zadig « fit sentir à tout le monde le pouvoir sacré des lois et ne fit sentir à personne le poids de sa dignité » (chap. VI). Insensible aux vanités que procure habituellement l'exercice du pouvoir, il sait écouter les opinions des autres et ne pas se montrer autoritaire : « Chaque vizir pouvait avoir un avis sans lui déplaire » (chap. VI). Voltaire, qui toute sa vie a combattu les abus du système judiciaire en France, souvent inspiré par l'arbitraire et par le fanatisme, réalise, grâce à la fiction du conte, son idéal d'une justice libérale et réellement équitable. Le « grand principe » qui anime Zadig, dont le nom signifie « le Juste » en hébreu, est « qu'il vaut mieux hasarder de sauver un coupable que de condamner un innocent » (chap. VI).

Zadig pense alors avoir atteint un bonheur authentique, où les conflits se dissipent dans une réconciliation universelle. Il finit par « croire qu'il n'est pas difficile d'être heureux » (chap. IV). Ainsi se réalise momentanément, au niveau de la fiction, l'idéal cher à Voltaire d'un grand roi, accessible aux idées généreuses et conseillé par un ministre sage.

Cette nouvelle illusion sera de courte durée. Selon un schéma parallèle à celui qui avait mit un terme à ses illusions sociales, Zadig va connaître la disgrâce à cause de l'envie et de la calomnie :

> Le malheur de Zadig vint de son bonheur même, et surtout de son mérite (chap. VIII).

6 | *Zadig* et la question de la Providence

Exilé de Babylone, contraint d'errer à travers l'Orient, Zadig se préoccupe désormais moins de son bonheur que du sens de sa destinée. À quelle logique obéissent les événements qu'il vit ? Est-il libre ou le jouet d'un déterminisme[1] ? Est-ce la Providence[2] qui règle en profondeur la vie des hommes ? Pourquoi le Mal existe-t-il ? C'est à ces questions que le conte essaye aussi de répondre, afin de mieux faire comprendre les raisons qui rendent le bonheur si difficile.

LA LIBERTÉ ET LA NÉCESSITÉ

L'impossibilité d'une liberté absolue

Au début du roman, Zadig, doté de toutes les perfections, jouit d'une liberté absolue. Souverainement responsable de ses actes, affranchi des passions destructrices, il manifeste son libre arbitre par une générosité au service des autres et de la vertu (chap. v). À travers ce personnage autonome, confiant en lui-même et dans l'existence, Voltaire décrit son propre idéal de la liberté. Apanage des êtres supérieurs, fruit d'une sagesse vigilante et condition du plus grand bonheur, la liberté fait participer l'homme à la toute-puissance divine, elle lui donne une marge d'action comparable à celle de ce Dieu qui régit l'univers.

Or le sentiment de liberté absolue qu'éprouve Zadig, fondé sur l'autonomie de ses actes et sur la certitude de leur légitimité, va s'évanouir au contact de l'expérience, d'une réalité contraire à ses désirs et à ses idéaux. Au début du conte, le héros est heureux parce

---

1. *Déterminisme* : enchaînement inévitable des faits.
2. *Providence* : influence de Dieu sur sa création.

qu'il constate une adéquation entre sa volonté d'être libre et le déroulement de sa destinée. Mais à mesure que les malheurs vont l'accabler, il va se sentir peu à peu dépossédé de cette liberté. Il ne va plus se reconnaître dans sa destinée. Il devient alors une sorte d'automate, de marionnette aux mains de la nécessité, d'un destin qui le dépasse et le manipule. Zadig, qui voulait construire sa vie sur un idéal de vertu et sur sa volonté libre, est brutalement confronté à la férocité des passions humaines et aux hasards aveugles du destin. Et pourtant personne n'est moins fataliste que lui, personne n'est moins disposé que lui à accepter les événements tels qu'ils se présentent. Il fait au contraire des efforts acharnés, du début à la fin du roman, pour comprendre ce qui lui arrive et pour donner un sens à ce qui, en apparence, n'en a pas.

▌Le triomphe du Mal

Zadig se rend vite à l'évidence. Le monde, loin d'obéir à une logique supérieure, semble livré au pur hasard. Il n'est pas régi par un principe de justice qui rémunère logiquement les bonnes actions, tout en châtiant les mauvaises. Ce ne sont pas les sages qui jouissent du bonheur, mais ceux qui abondent dans le sens du Mal et de leurs passions. Tel est le constat que Zadig dresse, au moment où il est contraint de s'exiler de Babylone :

> Tout ce que j'ai fait de bien a toujours été pour moi une source de malédictions, et je n'ai été élevé au comble de la grandeur que pour tomber dans le plus horrible précipice de l'infortune (chap. VIII).

Arbogad, le brigand, incarne emblématiquement la réussite et le bonheur des méchants. Situation qui scandalise le jeune homme :

> Ô fortune ! ô destinée ! un voleur est heureux et ce que la nature a fait de plus aimable a péri peut-être d'une manière affreuse, ou vit dans un état pire que la mort. Ô Astarté ! qu'êtes-vous devenue ? (chap. XIV).

Même désespoir lorsque Zadig se remémore, en compagnie du pêcheur, la manière avec laquelle Orcan lui a ravi Sémire :

> Ah ! dit-il au pêcheur, Orcan mérite d'être puni. Mais d'ordinaire, ce sont ces gens-là qui sont les favoris de la destinée (chap. XV).

Liberté individuelle et ordre cosmique

Zadig reflète les interrogations philosophiques de Voltaire aux alentours des années 1740. Il s'agit alors pour lui de rendre compatible la liberté de l'individu et les exigences d'un ordre universel. Le roman résout ce dilemme grâce à la notion de Providence, c'est-à-dire grâce à l'idée que l'univers est régi er profondeur par la volonté de Dieu. Seule cette idée permet alors aux yeux de Voltaire de garantir à la fois la liberté particulière de l'homme et l'harmonie universelle du cosmos[3].

Leur conciliation cependant est loin d'être évidente, comme l'atteste la méditation cosmique de Zadig lors de sa fuite vers l'Égypte. La contemplation du ciel étoilé, image sereine d'un ordre immuable, l'amène dans un premier temps à relativiser les affaires humaines et ses malheurs :

> Il se figurait alors les hommes tels qu'ils sont en effet, des insectes se dévorant les uns les autres sur un petit atome de boue. Cette image vraie semblait anéantir ses malheurs en lui retraçant le néant de son être et celui de Babylone (chap. IX).

Cette contemplation à partir de l'infini produit une mise à distance de la vie terrestre ; elle procure à Zadig un sentiment de calme :

> Son âme s'élançait jusque dans l'infini, et contemplait, détachée de ses sens, l'ordre immuable de l'univers (chap. IX).

Mais à peine a-t-il abandonné le point de vue des étoiles, pour retrouver celui des affaires humaines, qu'il replonge dans la dépression :

> Il ne voyait dans la nature entière qu'Astarté mourante et Zadig infortuné (chap. IX).

---

3. Voltaire aura beaucoup évolué quand il publiera *Candide* en 1759. Traversant une crise de désespoir, il se moquera violemment de l'idée de Providence à travers le personnage ridicule de Pangloss.

Le héros errant sur la route de l'Égypte est ainsi livré « à ce flux et ce reflux de philosophie sublime et de douleur accablante [...] » (chap. IX). Il s'aperçoit à quel point il est difficile de relier l'absurdité de la condition humaine à l'ordre supérieur de la Providence.

La solution proposée par Leibniz

C'est pourtant cette difficile synthèse que Voltaire tente de réaliser dans *Zadig*, afin de concilier une certaine liberté humaine et l'ordre de la Providence. Il veut maintenir l'idée de Dieu, tout en ne privant pas complètement l'homme de sa liberté. Pour y parvenir, il s'inspire des idées du philosophe allemand Leibniz (1646-1716). Dans un livre intitulé *Essai de Théodicée*, Leibniz s'emploie à rendre compatibles l'existence du Mal et la croyance en la bonté divine, à combiner harmonieusement l'absurdité ressentie par chaque homme en particulier et la cohérence générale de l'univers. L'univers est nécessairement mauvais, car sa création a entraîné une dégradation de la perfection divine. Mais il est néanmoins le meilleur des univers possibles, puisqu'il doit son existence à un choix de Dieu, qui ne peut être que bon.

Dans cette perspective, l'homme jouit d'une part importante de liberté, même si le déroulement de sa vie lui apparaît souvent confus et incompréhensible, même s'il a l'impression que c'est le Mal qui l'emporte surtout. Au-delà des apparences, la Providence divine s'exerce et travaille à terme au bien des hommes. Idée rassurante qui permet de relativiser la notion de Mal en l'intégrant à l'ordre naturel des choses. Contrairement aux idées pessimistes qu'il développera plus tard dans *Candide*, Voltaire adopte, au moment où il écrit *Zadig*, les grandes lignes de l'optimisme de Leibniz. Il croit alors fermement à la Providence. Au moment où Zadig, exaspéré par ses malheurs, se met à « murmurer contre la Providence » et à « croire que tout [est] gouverné par une destinée cruelle qui [opprime] les bons [...] » (chap. XVII), l'ange Jesrad intervient opportunément pour lui prouver le contraire.

LES MANIFESTATIONS DE LA PROVIDENCE

▌ Plan humain et plan divin

Au début du conte, Zadig peut s'estimer libre. Mais bientôt ce sentiment disparaît, tellement son existence est livrée aux pires caprices du destin. Zadig est alors une marionnette ballottée par des circonstances qu'il ne parvient pas à contrôler. S'il devient premier ministre, ce n'est pas d'abord à cause de ses mérites, mais à cause de la mésaventure du chien et du cheval. « Voilà donc, conclut-il, de quoi dépendent les destins des hommes ! » (chap. VI). De même, une coïncidence fait que les babouches d'Astarté sont bleues comme celles de Zadig, que les rubans d'Astarté sont jaunes comme le bonnet de Zadig (chap. VIII). Il n'en faut pas plus pour déclencher la terrible vengeance du roi Moabdar. Pris isolément, chaque moment de la vie de Zadig est une aberration.

Voltaire, cependant, veut montrer que l'incohérence de la destinée n'est qu'apparente. L'histoire de Zadig se déroule en réalité sur deux plans : le plan humain qui se caractérise par un état de myopie et de confusion, et le plan divin où agit la Providence, dans le sens d'un plus grand bien. À première vue, l'existence de Zadig se réduit à une succession décousue de rebondissements et de catastrophes. Et pourtant derrière ce désordre, le lecteur est peu à peu amené à lire la courbe harmonieuse d'une destinée. Les enchaînements des causes et des effets, si loufoques soient-ils, finissent en effet par conduire Zadig au bonheur. Si Sémire, puis Azora, ne l'avaient pas trahi, si Arimaze ne l'avait pas dénoncé, il ne serait pas devenu ministre du roi et il n'aurait pas fait la connaissance d'Astarté ; s'il n'avait pas été menacé de mort par Moabdar, s'il n'était pas devenu esclave, il n'aurait pas erré en Orient et ne serait pas devenu à la fin du roman époux d'Astarté et roi de Babylone. Il semble que tout se soit déroulé en fonction d'un ordre providentiel puisque le héros réalisera à la fin du conte son idéal. En tant que créateur et metteur en scène de l'intrigue, Voltaire joue en quelque sorte lui-même le rôle de la Providence divine qui finit par tout arranger pour le mieux.

Un schéma cyclique

En prenant du recul par rapport aux aventures ponctuelles de la narration, on s'aperçoit, comme l'a montré Jacques Van den Heuvel[4], qu'elles entrent dans un cycle qui se répète. Une fois que le héros est chassé de Babylone, l'histoire recommence selon un schéma identique. Malgré des divergences et une impression de hasard, les mêmes étapes se reproduisent : ascension rapide, combat bénéfique contre la superstition, hostilité des envieux et des prêtres, condamnation à mort, salut *in extremis* grâce à une femme, replongée enfin dans l'errance. Lorsque Zadig devient l'esclave de Sétoc, il recommence son ascension sociale, d'une manière semblable à celle qui l'a fait devenir premier ministre du roi Moabdar ; il lutte ensuite contre la coutume du bûcher de la même façon qu'il l'a fait à propos du temple de Mithra ; il est condamné à être brûlé comme il a été condamné à mort à Babylone ; il est sauvé par Almona, comme Astarté l'a naguère sauvé, avant de se retrouver sur la route de la Syrie, dans des conditions semblables à celles qui l'ont jeté sur celle de l'Égypte. Dans des contextes très différents, Zadig se comporte de la même manière et obtient les mêmes effets. La troisième phase d'ascension, parallèle aux deux premières, sera la bonne, puisqu'elle permettra au héros de réaliser son idéal, d'épouser Astarté et de devenir roi. Interprétée dans son ensemble, la destinée de Zadig a donc un sens. Elle obéit à un cycle qui montre une direction.

La destinée des autres personnages

Zadig peut retrouver dans la vie des autres personnages l'image de sa propre destinée et surtout apprendre à déceler, en dépit d'une apparente absurdité, un ordre providentiel. Le pêcheur, qui fut naguère le plus célèbre marchand de fromages à Babylone, a vécu des expériences comparables aux siennes : tous deux sont victimes du seigneur Orcan, qui s'empare de leur femme ; tous deux

---

4. *Voltaire dans ses contes*, Paris, éd. Armand Colin, 1967, p. 165-170.

connaissent la disgrâce puis l'exil. Les lamentations du pêcheur n'auront pas été inutiles, car elles lui permettent de rencontrer Zadig, qui va devenir pour lui l'incarnation de la Providence (chap. xv).

De même, les mésaventures d'Astarté mettent en abyme celles de Zadig ; elles obéissent à la même logique providentielle et permettent même de mieux en saisir le sens. Zadig ainsi, au chapitre ix, ne comprend pas pourquoi on vient enlever Missouf sans se préoccuper du cadavre de Clétofis.

C'est Astarté qui lui en donnera la raison. Les « courriers de Babylone » étaient en fait partis à la recherche d'Astarté elle-même afin que Moabdar la fasse mourir. Trompés par une vague ressemblance, ils s'emparent de Missouf. Méprise providentielle puisqu'elle sauve Astarté ! Le brigand Arbogad, en s'emparant d'elle, va servir aussi les desseins de la Providence. Il la vend en effet au seigneur Ogul, ce qui lui permettra de retrouver Zadig (chap. xvi).

Les itinéraires des destinées ne sont donc pas absurdes, ils répondent à une logique cachée. Cette logique va dans le sens d'un plus grand bien. La conclusion du conte rétribue ainsi chacun en fonction de ses mérites ou de ses crimes (chap. xix). La Providence a métamorphosé une somme de hasards malencontreux en un tout organisé, en un ordre fondamentalement juste. La leçon du roman est claire : la Providence se manifeste dans le détail de manière obscure et insaisissable, mais son action bénéfique devient, à la longue, éclatante. Le « grain de sable » est « devenu diamant » et les nouveaux époux royaux se mettent naturellement à [adorer] la Providence » (chap. xix).

LA SAGESSE DE LA PROVIDENCE

▌Les révélations de l'ange Jesrad

L'épisode de « L'ermite » (chap. xviii), donne la clef du conte. Zadig, « accusant en secret la Providence, qui le persécutait toujours » (chap. xvii), rencontre, sur les bords de l'Euphrate, un ermite. La confusion dans laquelle Zadig a vécu jusque-là est symbolisée par

« le livre des destinées », que le vieillard lui présente : « Zadig [...] ne put déchiffrer un seul caractère du livre. » Le récit se déroule ensuite comme une démonstration, fondée sur le principe que d'une action en apparence mauvaise découle au bout du compte un bien. L'ermite vole un hôte généreux et récompense un hôte avare. À Zadig qui s'interroge sur ce comportement paradoxal, l'ermite explique qu'il a voulu rendre plus modeste l'hôte riche et plus hospitalier l'hôte avare. Il met ensuite le feu à la maison d'un philosophe et précipite dans une rivière un jeune homme :

> Apprenez, explique-t-il à Zadig, que sous les ruines de cette maison où la Providence a mis le feu, le maître a trouvé un trésor immense ; apprenez que ce jeune homme dont la Providence a tordu le cou, aurait assassiné sa tante dans un an, et vous dans deux.

Derrière cet ermite, se cache en fait l'ange Jesrad qui livre au jeune homme le fin mot de son histoire. Il lui expose trois grands principes de la philosophie de Leibniz, qui sont ceux de Voltaire au moment où il écrit son roman :
– Les êtres méchants servent finalement la cause des « justes » car « il n'y a point de mal dont il ne naisse un bien ».
– La chaîne des événements et l'ordre de l'univers constituent un ensemble qui ne peut être modifié, mais sur lequel Dieu veille avec bienveillance : « Tout ce que tu vois sur le petit atome où tu es né devait être dans sa place et dans son temps fixe, selon les ordres immuables de celui qui embrasse tout[5]. »
– Perçu à travers une conscience individuelle, le monde apparaît comme un chaos, mais il ne s'agit là que d'une apparence : « Il n'y a point de hasard : tout est épreuve, ou punition, ou récompense, ou prévoyance » (chap. XVIII).

Ainsi la liberté de l'homme peut être conciliée avec l'ordre nécessaire de l'univers, grâce à la Providence divine. Les voies de la Providence sont cependant impénétrables. C'est la raison pour laquelle, il ne faut pas chercher trop à comprendre ni le pourquoi, ni le comment des événements qui composent la trame d'une destinée

---

5. Dieu.

Le dernier « Mais » de Zadig, qui veut encore faire une objection, fait fuir l'ange.

▌Zadig, champion de la Providence

S'il lui arrive de désespérer de la Providence, tant il est accablé par le malheur, Zadig apparaît quant à lui comme la providence des autres. Tous les personnages du conte ne pensent qu'à leur intérêt personnel, l'envieux qu'à son envie, Missouf qu'à ses caprices, le brigand qu'à ses rapines, le pêcheur qu'à ses fromages, etc. Zadig, en revanche, se définit surtout par son action au service d'autrui. Il secourt la femme battue, sauve Almona du bûcher, empêche le pêcheur de se tuer, il guérit Ogul, etc. Savant, homme du monde, premier ministre, esclave, il incarne un idéal d'humanité que Voltaire associe à la notion même de civilisation.

Homme providentiel, Zadig fait partie de ces êtres d'élite dont le comportement et les valeurs permettent une évolution positive du genre humain. Alors que la plupart des hommes sont obnubilés par leurs tracas quotidiens, il demeure, même aux pires moments en relation avec l'idéal. Attitude qui le conduit à lutter contre les forces obscures, autrement dit contre l'absurdité et le Mal. Ce combat, qui est aussi celui de Voltaire, apporte la preuve que les lumières de la sagesse émergent difficilement des ténèbres. La vérité ne va jamais de soi, elle n'existe qu'après une lutte sans merci contre l'erreur. En ce sens, Zadig incarne la Providence sous son aspect exemplaire et généreux. Être de lumière, il élucide, purifie et régénère. Il réconcilie les hommes les uns avec les autres, à l'image de ces négociants venus des quatre coins du monde qu'il met d'accord à propos de Dieu (chap. XII). Zadig rapproche entre eux les hommes, jusque-là divisés par la superstition. Même si l'on sait que son triomphe à la fin du conte n'est que provisoire, il aura au moins prouvé que l'humanité peut remporter une victoire éclatante sur le Mal, grâce à « la justice » et à « l'amour » (chap. XIX).

7 | *Zadig,* une argumentation au service du combat des Lumières

COMBAT PHILOSOPHIQUE
ET RHÉTORIQUE

La volonté de convaincre

Zadig est une œuvre qui n'a pas simplement une fonction divertissante. Elle est aussi une arme que Voltaire, en philosophe des Lumières, utilise pour attaquer ses adversaires et présenter les idéaux auxquels il est attaché. Elle offre donc une dimension argumentative, en phase avec les polémiques les plus actuelles du XVIII⁰ siècle. Mais l'argumentation dont use le philosophe apparaît d'autant plus efficace qu'elle n'utilise pas les formes habituelles de l'argumentation, celles qu'on rencontre par exemple dans les traités de philosophie. Ce qui fait l'originalité de *Zadig,* c'est que les idées s'intègrent à un récit qui se veut d'abord un jeu. C'est même ce mélange de conte léger, mené à vive allure, et de mise en question âpre des idées dominantes de l'époque, qui fait la caractéristique des contes de Voltaire. Ses principales cibles sont l'arbitraire des gouvernements tyranniques, le fanatisme religieux et l'inutilité d'une certaine forme de métaphysique, autrement dit de tous les discours qui dissertent vainement sur l'origine et le sens de la vie.

Traditionnellement, pour argumenter contre un adversaire on écrit un traité de morale ou de philosophie, un discours, un pamphlet, voire un dictionnaire. Il arrive à Voltaire de pratiquer ces genres, par exemple lorsqu'il écrit le *Traité sur la tolérance,* les *Lettres philosophiques* ou le *Dictionnaire philosophique.* En homme de combat, Voltaire s'efforce de penser et d'exposer les positions de ses adversaires, mais aussi de rendre ses propres idées aussi convaincantes que possible. Pour cela il recourt à la *rhétorique*.

La dimension rhétorique du conte

La rhétorique est l'art de bien parler de manière à convaincre son auditeur ou son lecteur. Contrairement à la poésie qui vise d'abord à causer un plaisir, la rhétorique se veut efficace, elle veut avoir une influence et une action immédiates sur ceux à qui elle s'adresse. Aristote, philosophe grec du IVe siècle avant Jésus-Christ, est le premier à avoir expliqué les moyens de rendre un discours efficace et persuasif. Il distingue trois situations de parole fondamentales : la parole politique qui débat sur l'avenir du corps politique, la parole judiciaire qui s'emploie à régler les procès, la parole d'éloge enfin qui célèbre les grands serviteurs de l'État. Dans son ouvrage intitulé la *Rhétorique*, Aristote explique comment on peut former l'orateur idéal, celui qui sera le mieux à même, dans une situation donnée, de trouver les bons arguments, de les disposer de la façon la plus adéquate, et de les exprimer avec les termes les plus adaptés. Cicéron, le grand orateur latin du Ier siècle avant Jésus-Christ, contribuera en tant qu'homme d'action et en tant qu'écrivain, à fixer pour longtemps les cadres de la rhétorique.

Voltaire, ancien élève des jésuites, connaît parfaitement la science du discours. C'est ainsi qu'un récit comme *Zadig*, s'il comprend beaucoup de passages de narration pure, ne cesse aussi de présenter des débats, des discussions et même des procès.

L'EXEMPLE
DE LA RHÉTORIQUE JUDICIAIRE

Le cadre judiciaire

La parole judiciaire forme avec la parole politique la plus noble partie de la rhétorique. Dans un procès, elle peut prendre deux formes, celle du réquisitoire qui accuse, celle du plaidoyer, qui défend ; elle définit le rôle du procureur d'un côté, celui de l'avocat de l'autre. Or dès les premiers chapitres, Zadig est confronté à des situations judiciaires, dans lesquelles, accusé de crimes qu'il n'a pas commis, il est sommé de se défendre et de se justifier. On l'accuse ainsi d'avoir « volé le cheval du roi et la chienne de la reine » (chap. III). En fait ce que Voltaire s'emploie à mettre en évidence, c'est la corruption d'un système judiciaire, qui loin de servir la justice et la vérité, est en proie à l'obscurantisme et au fanatisme. À peine le héros est-il jugé et condamné qu'on retrouve le « cheval » et la « chienne ». Victime d'une erreur judiciaire, il est tout de même contraint de payer une amende « pour avoir dit qu'il n'avait point vu ce qu'il avait vu » (chap. III). Voltaire pousse la logique de cette justice corrompue jusqu'à l'absurde. Ce qu'il met en cause d'abord, c'est l'organisation même du procès : l'accusé ne peut pas en effet se défendre dans un premier temps, en sorte que les droits de la défense sont scandaleusement bafoués. Il ne peut le faire qu'au moment où il est reconnu innocent :

> Il fallut d'abord payer cette amende ; après quoi il fut permis à Zadig de plaider sa cause (chap. III).

Ensuite, comme souvent dans le conte, le récit fait place au discours. Le héros présente une argumentation qui lui permet de se disculper. Le discours qu'il présente est parfaitement organisé. Il commence par un passage obligé dans les plaidoiries, la *captatio benevolentiae*, qui consiste à se ménager la bienveillance de l'auditoire et à se concilier ses bonnes grâces ; Zadig le fait avec des éloges particulièrement ironiques :

> Étoiles de justice, abîmes de science, miroirs de vérité qui avez la pesanteur du plomb, la dureté du fer, l'éclat du diamant et beaucoup d'affinité avec l'or !

Puis il traite deux points majeurs, le vol concernant la « chienne », puis celui concernant le « cheval ». À chaque fois, Zadig argumente par une narration des faits qui se veut en même temps une justification.

Dans la rhétorique traditionnelle, on distingue généralement trois types d'arguments susceptibles d'emporter la conviction de l'auditoire : l'*argument logique*, qui apporte des preuves rationnelles et tangibles, l'*argument pathétique*, qui fait appel aux émotions et aux passions, l'*argument éthique* enfin, qui rend le discours d'autant plus persuasif que l'on suppose l'orateur compétent et doté d'une bonne réputation. Dans cette plaidoirie, comme dans l'ensemble du conte, c'est surtout à l'argument logique que recourt le héros. Dans d'autres passages, c'est l'argument éthique qui le tire d'affaire. L'argument pathétique, dans ce conte, est surtout le fait des fanatiques qui ne cessent de chercher sa perte.

▌L'argument logique

Zadig, en philosophe des Lumières, qui vit sous la conduite de la raison et n'hésite pas à porter un regard scientifique sur les phénomènes, se livre à une analyse méticuleuse de ce qui lui est arrivé de manière à apporter des preuves irréfutables. Ce qui prime chez lui c'est le langage des faits et du jugement : « j'ai vu », « j'ai jugé aisément », « m'ont fait connaître que », « j'ai remarqué », « j'ai compris » (chap. III). La démonstration se déroule de manière logique, enchaînant avec pertinence les causes et les effets. Les liens de cause et de conséquence, les connecteurs logiques, figurent la vérité :

> J'ai connu que ce cheval y avait touché, *et qu'ainsi* il avait cinq pieds de haut. *Quant à* son mors, il doit être d'or à vingt carats : *car* il en a frotté les bossettes contre une pierre que j'ai reconnue être une pierre de touche et dont j'ai fait l'essai. J'ai jugé *enfin*, par les marques que ses fers ont laissées sur des cailloux d'une autre espèce, qu'il était ferré d'argent à onze deniers de fin.

Zadig fait prévaloir sur la superstition et la hâte du jugement, l'observation concrète, le goût de l'expérience, la rigueur du discernement.

▌L'argument éthique

Le chapitre V, intitulé « Les généreux », met en scène « une grande fête », qui prend les allures d'un jugement sur le mode judiciaire. Il s'agit de mettre à l'honneur « celui des citoyens qui avait fait l'action la plus généreuse » (chap. v). Finalement ce sera Zadig qui remportera le prix. Le roi le distingue, car il s'est comporté noblement à l'occasion de la disgrâce d'un ministre :

> Je n'ai jamais lu qu'un courtisan ait parlé avantageusement d'un ministre disgracié, contre qui son souverain était en colère.

Ici c'est l'argument éthique qui domine : comme les autres héros des contes de Voltaire, Candide ou l'Ingénu, Zadig est un jeune homme profondément bon, à l'esprit juste. Devenu « premier ministre » (chap. vi), il s'efforce d'exercer la justice avec équité et humanité :

> Son principal talent était de démêler la vérité, que tous les hommes cherchent à obscurcir (chap. vi).

L'ARGUMENTATION PAR L'ABSURDE

La critique des arguments absurdes

Voltaire ne se contente pas d'exposer à travers son héros ce que doit être une argumentation rigoureuse fondée sur la raison, la vérité et le bon sens. Il démonte surtout et tourne en ridicule les argumentations fondées sur des préjugés et de sottes croyances. Le conte ne cesse de mettre en scène des argumentations poussées à l'extrême, qui ne peuvent que susciter le rire et la moquerie. C'est donc moins la rhétorique traditionnelle qui fournit à Voltaire les moyens d'affermir son argumentation que la mise en forme opérée par le récit et toutes les ressources de l'énonciation (→ PROBLÉMATIQUE 3). Il lui suffit de *montrer* les raisonnements de ses adversaires pour en *démontrer* l'incohérence et la sottise. La fiction met ainsi en place une véritable argumentation par l'absurde.

Les habitants de Babylone et les adversaires de Zadig sont d'abord constamment disqualifiés du point de vue de l'argument logique et de l'argument éthique. Ils sont dominés par la superstition ou le fanatisme. Ils gaspillent ainsi leur temps à débattre sur des absurdités sans intérêt :

Il s'éleva une grande dispute sur une loi de Zoroastre qui défendait de manger du griffon.

« Comment défendre le griffon, disaient les uns, si cet animal n'existe pas ?

– Il faut bien qu'il existe, disaient les autres, puisque Zoroastre ne veut pas qu'on en mange » (chap. IV).

Il s'agit là moins d'argumentation que de coutumes, de préjugés et de croyances. Voltaire s'amuse à décrire ces croyances qui ne sont à ses yeux que bêtises et fantasmagories :

Il y avait une grande querelle dans Babylone, qui durait depuis quinze cents années, qui partageait l'empire en deux sectes opiniâtres : l'une prétendait qu'il ne fallait jamais entrer dans le temple de Mithra que du pied gauche ; l'autre avait cette coutume en abomination et n'entrait jamais que du pied droit (chap. VII).

La polyphonie discordante

Comme souvent chez Voltaire les argumentations adverses s'élèvent dans une *polyphonie* qui opposent des points de vue tout aussi ineptes les uns que les autres, alors que la vérité défendue par Zadig s'appuie sur le témoignage véridique des faits, sur le bon sens, ou bien encore, s'il n'y a point de position absolue, sur la tolérance et le respect des opinions d'autrui. La *polyphonie*, autrement dit la multiplication des voix et des points de vue, est la caractéristique des textes à vocation critique et polémique. À propos du fait de savoir s'il faut ou non manger des « griffons », le héros réagit avec simplicité et bon sens :

S'il y a des griffons, n'en mangeons point ; s'il n'y en a point, nous en mangerons encore moins, et par là nous obéirons tous à Zoroastre (chap. IV).

Ce bon sens et cette tolérance, qui permettent par contraste de mettre en évidence l'absurdité des argumentations des autres, apparaît de manière particulièrement frappante dans le chapitre XII, où « un Égyptien, un Indien gangaride, un habitant du Cathay, un Grec » et « un Celte » se disputent pour faire valoir la suprématie de leur dieu sur les dieux des autres. La polyphonie discordante des voix et des opinions, que le récit met en scène, suffit à en faire apparaître le caractère relatif, voire contradictoire et fanatique. Zadig, avec la voix du respect et de la tolérance, n'a pas de mal à conclure :

> Mes amis, vous alliez vous quereller pour rien, car vous êtes du même avis (chap. XII).

L'ARGUMENTATION PAR L'IRONIE

Voltaire use aussi beaucoup de l'ironie pour démolir les argumentations de ses adversaires. Plutôt que d'argumenter au nom de la vérité, il préfère souvent faire mine d'adopter le point de vue inepte et superstitieux de ceux qui détiennent le pouvoir avec fanatisme et cruauté :

> Un savant, qui avait composé treize volumes sur les propriétés du griffon, et de plus était grand théurgite, se hâta d'aller accuser Zadig [...]. Cet homme aurait fait empaler Zadig pour la plus grande gloire du soleil, et en aurait récité le bréviaire de Zoroastre d'un ton plus satisfait (chap. IV).

L'érudition prétentieuse et inutile, la caution douteuse de la religion, sont ici présentées d'une manière en apparence favorable et admirative, mais le ton du conteur sape à chaque instant cette prétention de manière à la rendre odieuse : avoir composé « treize volumes » ne peut être un critère d'intelligence ; le terme recherché « théurgite » suppose le recours à la magie et à l'occultisme ; quant au verbe réaliste « empaler », il apparaît d'autant plus cruel, que cette action est présentée comme un geste de célébration « pour la plus grande gloire du soleil ».

Zadig déroule ainsi un jeu de massacre, dans lequel l'ironie figure pour dénoncer tous les systèmes de pensée susceptibles d'imposer une tyrannie, d'aliéner les individus et d'altérer la simplicité de leur jugement. Par référence à Zadig, qui préfère « l'être au paraître » (chap. IV), l'ironie exprime une opposition scandaleuse entre les apparences et la réalité. Elle dévoile le comportement frauduleux de ceux qui détiennent le pouvoir en même temps qu'elle dénonce la barbarie des institutions.

FICTION ET ARGUMENTATION

Le conte entier en tant que fiction, c'est-à-dire en tant que récit inventé pour le plaisir, est la meilleure machine argumentative dont use le conteur pour faire triompher ses idées. Le moteur principal de cette argumentation par la fiction est l'*antithèse*. À Zadig, personnage candide, bon et raisonnable, s'oppose une foule d'individus dépravés et fanatiques. Et c'est l'obstination du héros à dire et à imposer la vérité qui suscite ses malheurs mais aussi entraîne le déroulement de la narration. Cette démarche antithétique, dans le cadre de l'apologue, d'un récit qui vise à illustrer une leçon morale, réduit le plus souvent les personnages à des types : Arimaze, « l'Envieux » est opposé à Zadig, « l'Heureux » (chap. IV). Le même scénario se répète : la rencontre d'une conscience pure et droite avec toutes les manifestations de la folie, de l'intolérance et de la cruauté. Mais le conteur, qui est le maître du jeu, fera finalement triompher son héros. À défaut de faire triompher ses arguments dans la réalité, tellement les autorités politiques et religieuses sont encore hostiles au XVIIIe siècle aux idéaux des Lumières, Voltaire obtient au moins, grâce à la fiction, une sorte de victoire symbolique. Il réussit même à donner à son message de tolérance et de liberté une gravité et une forme de sublime qui ennoblissent le dur combat pour la justice et la vérité. La sobriété du style de Voltaire, son dépouillement, son refus des formules recherchées, jouent aussi comme un argument au service de la vérité. La simplicité du style voltairien se veut une expression tangible de l'évidence des arguments :

> Quand il jugeait une affaire, ce n'était pas lui qui jugeait, c'était la loi ; mais, quand elle était trop sévère, il la tempérait […]. C'est de lui que les nations tiennent ce grand principe qu'il vaut mieux hasarder de sauver un coupable que de condamner un innocent (chap. VI).

Il émane de ces lignes qui décrivent Zadig une force de conviction, une ardeur à dire le vrai, une confiance dans la justice, dont les révolutionnaires de 1789 seront pénétrés quand ils rêveront de créer une société véritablement juste et tolérante.

8 | La satire dans *Zadig*

Toute sa vie, Voltaire a combattu contre les abus et les injustices. En butte à la haine d'ennemis jaloux, à la toute-puissance de la censure, à l'arbitraire du pouvoir monarchique, il ne lui fut jamais facile d'exprimer ses idées et de les diffuser. Le conte philosophique est l'une des solutions dont il use pour les communiquer et pour critiquer la société de son temps. C'est pourquoi *Zadig*, au-delà de ses aspects romanesques et de ses interrogations philosophiques, se présente aussi comme une *satire*. On appelle *satire* un texte qui use de la raillerie ou de l'indignation pour dénoncer des scandales et des impostures.

LES CIBLES DE LA SATIRE

Le pouvoir absolu

La politique joue dans *Zadig* un rôle essentiel. Voltaire est hostile à la monarchie absolue où le souverain jouit sans contrôle de tous les pouvoirs et n'accepte pas la contestation. Son idéal est une monarchie de type libéral, où les opinions peuvent s'exprimer librement, de manière à ce que l'autorité du roi serve au mieux les intérêts de ses sujets. Voltaire rêve d'un despote éclairé, qui fasse régner la justice, la tolérance et la raison. Zadig réalise ce rêve comme premier ministre (chap. VI), puis comme roi (chap. XIX).

À ce modèle s'oppose Moabdar, homme d'un caractère violent et influençable. Tant que Zadig est son premier ministre, Babylone est bien gouvernée. Il accepte même la contradiction, par exemple lorsque Zadig, contrairement à tous les autres courtisans, prend la défense de Coreb, le favori tombé en disgrâce. Mais à partir du moment où Moabdar se laisse entraîner par la jalousie (chap. VIII), puis par sa passion pour Missouf, alors il tombe dans la « folie ». Son pouvoir se transforme en « tyrannie » et Babylone devient « le théâtre d'une guerre civile affreuse » (chap. XVI). Le malheur du roi résulte des intrigues d'Arimaze, le prototype du mauvais conseiller, vaniteux et envieux de la réussite des autres. Avide seulement d'occuper le pouvoir pour le pouvoir, il est prêt à tout pour éliminer ses rivaux.

Les abus de la justice

Voltaire n'a cessé de dénoncer les abus de la justice de son temps : la corruption des magistrats, la confusion entre intérêts publics et intérêts privés, le caractère bâclé des procès, la cruauté des sentences. Les démêlés continuels de Zadig avec la justice reflètent les défauts d'un système fondé sur l'arbitraire et la passion plus que sur l'équité et la raison.

Accusé sans enquête d'avoir « volé le cheval du roi et la chienne de la reine », il est condamné « au knout[1] et à passer le reste de ses jours en Sibérie » (chap. III). Cette justice expéditive se confirme au moment où, accusé à tort d'avoir écrit un poème injurieux contre le roi, il est jeté en prison, jugé « sans qu'on daignât l'entendre » (chap. IV) et « condamné à être décapité » (chap. XIII). Après avoir tué Clétofis, en état de légitime défense, le voilà de nouveau devant un tribunal avant d'être vendu comme esclave (chap. X). À cette cruauté, à ce mépris des droits de la défense, s'ajoutent la rapacité pécuniaire des juges et la lourdeur de la procédure. Zadig en est victime (chap. III), mais aussi le pêcheur :

> Il me restait six onces d'or : il fallut en donner deux onces à l'homme de loi que je consultai, deux au procureur qui entreprit mon affaire, deux au secrétaire du premier juge. Quand tout cela fut, mon procès n'était pas encore commencé […] (chap. XV).

---

1. *Knout* : bastonnade.

Le fanatisme religieux

Voltaire croit en Dieu. Mais la religion dont il rêve (chap. XI et XII) n'a ni dogmes, ni institutions, ni clergé ; elle rapproche les hommes au lieu de les diviser. L'« Être éternel » est universel, il est au-delà des particularismes nationaux. L'Égyptien rend un culte au « bœuf Apis », l'Indien, à Brahma, le Chaldéen au « poisson Oannès », le Chinois à Li et à Tien ; le Grec explique tout à partir du « chaos » ; le Celte ne jure que par « Teutath » et par « le gui de chêne ». Pour Zadig et pour Voltaire, ces différences ne sont qu'apparentes, car au fond tous adorent le même « Être supérieur », tous sont « de même avis et il n'y a pas là de quoi se quereller » (chap. XII).

C'est pourquoi les coutumes des différentes religions relèvent plus de la superstition que de la foi véritable. Zadig fait ainsi comprendre à Sétoc qu'il vaut mieux prier « l'être éternel » directement plutôt que d'adorer les astres (chap. XI). Au lieu de s'occuper de spiritualité, les religions se réduisent le plus souvent au respect tatillon de rites absurdes et parfois barbares : interdiction de manger du griffon, du lapin (chap. IV), de la « poule bouillie », « de faire cuire du poisson » (chap. XII), nécessité d'entrer dans le temple de Mithra en faisant attention à ses pieds, de prier Dieu toujours dans le même sens (chap. VII), coutume du bûcher (chap. XI), momification (chap. XII). Dieu, s'efforce d'expliquer Zadig, n'a cure de ces manies.

Mais Voltaire s'en prend surtout aux prêtres fanatisés qui servent moins Dieu que leurs intérêts personnels. Alors que la religion devrait prêcher l'amour, la justice et le respect du prochain, les prêtres dans *Zadig* sont décrits comme des êtres sanguinaires, affamés de pouvoir et d'argent. L'archimage Yébor veut faire « empaler Zadig pour avoir mal pensé des griffons [...] » (chap. IV). La disparition de la coutume du bûcher révulse ·es « prêtres des étoiles », car les « pierreries et les ornements des jeunes veuves qu'ils envoyaient au bûcher leur appartenaient de droit [...] » ; ils condamnent donc Zadig « à être brûlé à petit feu » (chap. XIII).

Les excès de la passion

Pour Voltaire, les passions sont inévitables :

> Ce sont les vents qui enflent les voiles du vaisseau […] ; elles le submergent quelquefois ; mais sans elles il ne pourrait voguer (chap. XVIII).

Mais elles ont un caractère égoïste et obsessionnel qui peut les rendre dangereuses et néfastes pour l'instauration d'une vie sociale harmonieuse. Certes, Zadig est passionnément amoureux d'Astarté et c'est le désir de la retrouver qui est, à partir du chapitre IX, le moteur du récit. Mais il s'agit d'une passion noble pour un être d'une valeur morale comparable à celle du héros. Elle ne contredit pas son goût naturel pour la mesure et pour la raison.

Ce « cœur sincère et noble », généreux et mesuré, fait mieux ressortir la folie où peut conduire l'excès des différentes passions : amour (Sémire, Azora, Clétofis, Missouf, Moabdar), colère et jalousie (Moabdar), envie, goût du pouvoir et de l'argent (Arimaze, prêtres, Arbogad), intolérance religieuse (Yébor, prêtres). La passion, d'ailleurs, relève souvent plus du « paraître » que de « l'être » (chap. IV). Azora critique ainsi d'une manière trop ostentatoire la veuve Cosrou, incapable de rester fidèle à son mari. Et de fait, à la première occasion, Azora se montrera infidèle (chap. II).

La passion conduit au meurtre, à la guerre, au fanatisme, à l'intolérance. Elle emprisonne chacun dans ses intérêts égoïstes. Ce n'est que par la raison, qui permet d'établir des principes universels et d'apprendre la tolérance, que les hommes, à l'exemple de Zadig, peuvent construire une société plus harmonieuse et plus juste.

LES ARMES DE LA SATIRE

L'ironie

L'ironie consiste à faire semblant de croire vraie une proposition manifestement fausse, de telle sorte que le lecteur perçoive un désaccord flagrant entre ce qui est énoncé et la vérité. Ce moyen est particulièrement efficace pour tourner en ridicule et dénoncer le scandale ou l'absurdité d'un comportement ou d'une idée. L'ironie est très fréquente dans *Zadig*. Elle apparaît souvent dans le ton. Voltaire se plaît ainsi à feindre d'adopter, sur un ton faussement détaché, le point de vue des oppresseurs. Moabdar fait rendre à Zadig, reconnu innocent, « l'amende des quatre cents onces d'or à laquelle il avait été condamné ». L'ironie de l'auteur se déchaîne alors contre les magistrats qui retiennent presque tout l'argent :

> Le greffier, les huissiers, les procureurs, vinrent chez lui en grand appareil lui rapporter ces quatre cents onces ; ils en retinrent seulement trois cent quatre-vingt-dix-huit pour les frais de justice (chap. III).

De même, Voltaire feint d'adopter le point de vue des « prêtres des étoiles » qui s'apprêtent à « punir » Zadig. Pour cela, il présente sur un ton naturel des comportements qui relèvent en fait du fanatisme et de la barbarie : « C'était bien le moins qu'ils fissent brûler Zadig pour le mauvais tour qu'il leur avait joué » (chap. XIII).

L'ironie peut aussi prendre la forme de l'*antiphrase*, c'est-à-dire d'un énoncé qui veut faire comprendre un message dont le sens est à l'opposé de l'expression littérale. Voltaire en use beaucoup quand il s'agit de mettre en évidence l'absurdité de certaines coutumes. Sétoc défend ainsi naïvement l'habitude de faire brûler la veuve sur le bûcher de son mari :

> Qui osera changer une loi que le temps a consacrée ? Y a-t-il rien de plus respectable qu'un ancien abus ? (chap. XI).

Son argumentation repose seulement sur la tradition, autrement dit pour Voltaire sur l'obscurantisme et la superstition.

▌ La parodie

La parodie est l'imitation comique d'un énoncé ou d'un genre littéraire sérieux. Grâce à elle, Voltaire dénonce le décalage entre l'air sérieux et imposant que certains individus veulent se donner et la vérité de leurs sentiments, fondés souvent sur le mensonge et l'égoïsme. Voltaire s'amuse ainsi à parodier le style ampoulé et grotesque avec lequel il faut s'adresser à de hautes personnalités. La parodie de ces apostrophes grandiloquentes atteint un grand degré de comique quand Zadig s'adresse à ses juges :

> Étoiles de justice, abîmes de science, miroirs de vérité qui avez la pesanteur du plomb, la dureté du fer, l'éclat du diamant et beaucoup d'affinité avec l'or [...] (chap. III).

L'ironie souligne l'effet de la parodie. Zadig parle en termes de lumière (« étoiles », « miroirs », « éclat du diamant ») à des hommes qui fondent leur pouvoir sur l'obscurantisme ; mais, aussi, sous couvert d'éloge, il dénonce la lourdeur du système judiciaire (« pesanteur du plomb ») et la cupidité des magistrats (« affinité avec l'or »).

Outre la parodie du conte oriental que nous avons précédemment étudiée (→ PROBLÉMATIQUE 4), Voltaire tourne en dérision le roman sentimental et larmoyant, genre littéraire dont ses contemporains étaient friands. Ces œuvres racontent les passions amoureuses de personnages au cœur pur, mais en butte à des êtres méchants et cyniques. Elles reposent sur des intrigues qui usent de tous les moyens capables d'accroître le pathétique et le romanesque : enlèvements, séparations déchirantes, scènes de larmes, errances, retrouvailles, etc. Les chapitres consacrés aux relations du héros avec Sémire, Azora et Astarté reprennent les clichés et le style pathétique de ces romans. Ainsi quand Azora apprend que son époux est mort : « Elle pleura, s'arracha les cheveux, et jura de mourir » (chap. II). Cet excès apparaîtra d'autant plus ridicule que la jeune femme va se montrer très vite infidèle.

Pour se moquer de la jalousie de Moabdar et railler avec humour la passion naissante entre Zadig et Astarté, Voltaire reprend les scènes attendues et les formules stéréotypées des romans d'amour de l'époque : trouble des héros devant leur amour impossible, rôle crucial des confidents, manœuvres des courtisans envieux, vengeance du mari, fuite éperdue, désespoir des héros (chap. VIII). Le style est aussi excessif que les situations :

> Zadig sortait d'auprès d'elle égaré, éperdu, le cœur surchargé d'un fardeau qu'il ne pouvait plus porter.

Dans ce chapitre, Voltaire parodie aussi la tragédie classique ; il se souvient de *Bajazet* de Racine et de *Zaïre*, tragédie orientale dont lui-même est l'auteur. Les alexandrins y abondent : « Sa passion croissait dans le sein de l'innocence. Astarté se livrait sans scrupule et sans crainte » ; « et jamais il ne fut plus fidèle à son prince [...] » ; « On pénétra bientôt qu'Astarté était tendre [...] » .

La dévalorisation par le réalisme burlesque

Le burlesque peut être défini comme l'utilisation de termes triviaux et ridicules pour traiter de situations dont on parle normalement avec sérieux et gravité. Comme la parodie, le burlesque dégonfle les prétentions faussement nobles et idéalistes par des détails crus et réalistes. Voltaire use beaucoup du réalisme burlesque pour tourner en dérision la vanité ou l'absurdité de certains comportements. La bassesse d'un personnage est toujours caricaturée par l'expression d'un détail physique. Zadig vient d'être nommé premier ministre : « l'envieux en eut un crachement de sang, et le nez lui enfla prodigieusement » (chap. vi). Azora, épouse infidèle et volage, devient ridicule lorsqu'elle accepte de soigner Cador, en lui appliquant « sur le côté le nez d'un homme qui soit mort la veille » (chap. ii). Ces détails sordides cassent le pathétique de la situation et transforment Azora en caricature.

Lorsqu'une scène prend un tour dramatique. Voltaire en brise le sérieux par l'introduction d'un détail grotesque. « La femme d'Arimaze fait la cour à Zadig. Elle lui fait avec hypocrisie une déclaration, où elle se montre en femme vertueuse, outragée par la conduite scandaleuse de son mari ; puis elle finit par laisser tomber sa « jarretière » (chap. vii).

La chute de la « jarretière » transforme la scène en farce. De même, un détail fait basculer dans le comique la scène du combat de Zadig contre Clétofis, qui violentait Missouf :

> Ils s'attaquent l'un l'autre. Celui-ci porte cent coups précipités ; celui-là les pare avec adresse. La dame, assise sur un gazon, rajuste sa coiffure [...] (chap. ix).

En prenant le temps de rajuster sa coiffure dans un moment où il y va de sa vie, Missouf révèle son caractère de femme futile et médiocre.

Les grands sentiments, les attitudes grandiloquentes sont réduits, dans *Zadig*, à des détails matériels démesurément grossis. C'est par ce procédé que Voltaire se moque de la jalousie de Moabdar :

> Il remarqua surtout que les babouches de sa femme étaient bleues, et que les babouches de Zadig étaient bleues, que les rubans de sa femme étaient jaunes et que le bonnet de Zadig était jaune [...] (chap. VIII).

Ramenée à des « babouches », des « rubans » et un « bonnet », la passion du roi ne peut être prise au sérieux. Voltaire use aussi de cette hypertrophie du détail matériel pour se moquer des coutumes religieuses. En grossissant à la loupe un rite, il le fait apparaître de manière concrète et prosaïque, de telle sorte qu'il est vidé de tout contenu spirituel et tourne à l'absurdité. C'est de cette manière qu'est présentée la coutume égyptienne de la momification. Perdant son statut d'objet sacré, la momie est présentée par le marchand égyptien comme « le meilleur effet[2] du monde », autrement dit comme l'enjeu d'un vulgaire marchandage commercial (chap. XII).

Les effets d'accélération et de surprise

Voltaire joue sur la construction du récit et sur le tempo de la narration pour créer des effets comiques qui font apparaître le scandale ou la bêtise d'une situation. Le caractère expéditif et arbitraire de la justice est dénoncé par une présentation où les événements s'accumulent et se télescopent jusqu'à l'absurde :

> Ils le firent conduire devant l'assemblée du grand deterham[3], qui le condamna au knout et à passer le reste de ses jours en Sibérie. À peine le jugement fut-il rendu qu'on retrouva le cheval et la chienne. Les juges furent dans la douloureuse nécessité de réformer leur arrêt ; mais ils condamnèrent Zadig à payer quatre cents onces d'or [...] (chap. III).

Par la concentration des événements et par l'accélération du récit, Voltaire révèle brutalement les mobiles cyniques qui font agir les hommes.

---

2. Ici, objet méprisable.
3. Trésorier.

Il ménage aussi des effets de surprise et des renversements de situation qui mettent en lumière l'incohérence des coutumes ou l'injustice de la vie. Zadig, scandalisé par la « fête solennelle qui s'appelait le bûcher du veuvage », demande à rencontrer Almona, la veuve qui veut devenir sainte en brûlant avec son mari. En fait, elle agit plus par respect de la tradition que sous l'effet de l'amour conjugal :

> Vous aimiez donc prodigieusement votre mari ? lui dit-il. Moi ? Point du tout, répondit la dame arabe. C'était un brutal, un jaloux, un homme insupportable [...] (chap. XI).

Cette réponse directe et inattendue révèle la barbarie et la bêtise de certaines pratiques religieuses. L'évidence parfois même ne suffit pas, tellement la bêtise et le préjugé peuvent être puissants :

> Zadig fut guéri parfaitement. Hermès écrivit un livre où il lui prouva qu'il n'avait dû[4] guérir (chap. I).

---

4. N'aurait pas dû.

9 | Les personnages dans *Micromégas*

MICROMÉGAS, LE SIRIEN

Une étymologie expressive

Micromégas, comme beaucoup de créations voltairiennes, est doté d'un nom de fantaisie, dont l'étymologie fournit d'emblée un indice sur le thème philosophique qui sera développé dans le conte. Il se compose de deux éléments d'origine grecque, *micro* (petit) et *mégas* (grand). Leur assemblage suggère une réflexion sur la relativité des proportions en même temps qu'un jeu entre le macrocosmique et le microscopique. Ce géant d'environ quarante kilomètres de haut n'est pas sans rappeler les héros de Rabelais, Pantagruel et Gargantua. Il évoque aussi *Les Voyages de Gulliver* de Jonathan Swift, romancier anglais très apprécié de Voltaire. Micromégas habite « Sirius » (chap. ı), la plus éclatante des étoiles. C'est le conte de Voltaire qui est à l'origine de l'expression « point de vue de Sirius », qui désigne un point de vue critique et distancié.

Un savant et un esprit critique

Micromégas est présenté comme un savant, à la fois géomètre et naturaliste (chap. ı). Sur les hommes, constamment décrits dans le conte comme des insectes, il posera un regard d'entomologiste[1]. « C'est un bon observateur » (chap. ı) qui manifeste un goût passionné pour l'objectivité et la vérité : « Je ne veux qu'on me plaise, point je veux qu'on m'instruise […] » (chap. ıı). Pourvu du « don des langues », autrement dit d'une grande aptitude à la communication et d'une authentique

---

1. *Entomologiste* : spécialiste de l'étude des insectes.

bienveillance pour les autres, Micromégas est « un jeune homme de beaucoup d'esprit », qui sait « mettre les femmes de son côté ».

Par beaucoup de ces qualités, Micromégas apparaît comme un double de Voltaire. Mais le Sirien, comme son créateur, paie cher son désir de connaître la vérité. Comme lui, il appartient à la catégorie des bannis et des exilés, dont on ne supporte pas les « propositions suspectes, malsonnantes, téméraires, hérétiques [...] » (chap. I).

▌Le héros d'un roman de formation

Malgré sa brièveté, *Micromégas* appartient à la catégorie du *roman de formation*. Ce type de roman décrit l'évolution d'un jeune héros, qui, après des expériences et des épreuves, prend peu à peu possession de lui-même et acquiert une identité. Le bannissement dont il est victime, joint au désir de compléter par lui-même son éducation, font de Micromégas un voyageur, mû par une curiosité inlassable et par la volonté de se faire une idée aussi juste et lucide que possible de la vie.

En digne parent de Candide et dans *L'Ingénu* du Huron, il aborde le monde avec un enthousiasme dénué de préjugés. Il est habité par un idéal de perfection ; il rêve d'un « pays où il ne manque rien » (chap. II). Impressionné par l'intelligence exceptionnelle des hommes, il pense d'abord naïvement que la terre est un paradis où l'on connaît « le vrai bonheur » (chap. VII). Il sera vite détrompé. Cette candeur, due à son tempérament et à ses origines extra-terrestres, est utilisée par Voltaire comme un instrument de critique et de révélation.

Au terme de cette *quête* philosophique, où se combinent *enquête* scientifique et *conquête* de soi, Micromégas devient, comme ses frères Candide et l'Ingénu, un philosophe des Lumières accompli.

LE SATURNIEN

▌Une caricature de Fontenelle

Sur la planète Saturne, Micromégas fait la connaissance d'un philosophe qui va l'accompagner au cours de son voyage sur terre.

Ce personnage beaucoup plus petit que lui est « secrétaire de l'académie de Saturne ». À travers lui, Voltaire s'amuse d'abord à caricaturer l'un de ses contemporains, le philosophe Fontenelle, auteur des *Entretiens sur la pluralité des mondes* (1686). Lui déniant toute originalité philosophique, mais respectant en lui le vulgarisateur, Voltaire se plaît à parodier son style connu pour être fleuri et chargé de métaphores :

> « Oui, dit le Saturnien, la nature est comme un parterre dont les fleurs [...]
> – Elle est, reprit le secrétaire, comme une assemblée de blondes et de brunes, dont les parures [...]
> – Elle est donc comme une galerie de peintures dont les traits [...] » (chap. II).

Ce langage imagé exaspère l'observateur rigoureux qu'est Micromégas.

Un interlocuteur et un compagnon

Le Saturnien devient vite cependant l'ami inséparable de Micromégas. C'est lui qui permet l'échange et le débat des idées, selon un schéma qui remonte aux dialogues du grand philosophe grec Platon. Grâce à lui, le héros peut formuler les questions qu'il se pose et poursuivre son enquête par la contradiction. Micromégas et le Saturnien forment bientôt un couple philosophique, comme Candide et Pangloss. Ce couple permet à l'auteur de présenter ses réflexions de manière vivante et contrastée, de poser sur la réalité un regard double, qui lui donne du relief et facilite la critique.

LES TERRIENS

Dans l'échelle de grandeur mise en œuvre dans le conte, les habitants de la terre apparaissent comme les êtres les plus minuscules. Les deux voyageurs intersidéraux mettent longtemps avant de les découvrir. Ils finissent cependant par entrer en relation avec « une volée de philosophes », qui s'en retourne du « cercle polaire ». Voltaire fait ici allusion à une expédition qui eut réellement lieu au pôle Nord en 1736 et 1737, sous la direction du savant Maupertuis, célèbre philosophe et mathématicien. Prenant la place du Saturnien dans le dialogue, les Terriens se montrent unanimes quand ils parlent de science ; mais dès qu'ils traitent de philosophie, ils sont incapables de se mettre d'accord. Ils offrent à Voltaire une occasion de dénigrer, à partir du point de vue de Micromégas, les prétentions humaines et d'exposer sa propre conception du savoir et de la sagesse.

LE NARRATEUR

Le récit nous est rapporté par un personnage qui dit « je » et assume les fonctions de narrateur. Il manifeste souvent la même impertinence frondeuse que Voltaire lui-même. Mais on ne saurait confondre auteur et narrateur. L'auteur est la personne réelle qui a créé l'œuvre – le narrateur est l'être de papier, l'être fictif, présenté comme la source de l'énonciation dans le texte. Comme les autres personnages, le narrateur est une marionnette que Voltaire manipule en fonction de ses intentions critiques et philosophiques. Membre de la troupe de scientifiques qui ont rencontré les deux géants, le narrateur se présente comme un témoin objectif, « un historien » (chap. IV).

La présence du narrateur donne un relief supplémentaire à la satire mise en œuvre par le conte. Elle a aussi pour fonction d'établir des liens entre les aventures décrites et la réalité du XVIIIe siècle. Voltaire développe grâce à lui un véritable art du clin d'œil et de l'allusion. Nous apprenons, par exemple, que Micromégas a été élevé « au collège des jésuites de sa planète » (chap. I). Voltaire, lui-même ancien élève des jésuites, en profite pour donner un coup de griffes à un ordre religieux auquel il ne cessa de reprocher son impérialisme tentaculaire : même sur Sirius, on trouve un collège de jésuites !

10 | *Micromégas,* un récit de voyage

LA TRADITION
DU VOYAGE IMAGINAIRE

Aussi vieux que la littérature elle-même, le voyage imaginaire continue à vivre à l'époque moderne avec les œuvres de Jules Verne et les romans de science-fiction. Il se situe à mi-chemin entre le conte de fées et l'enquête philosophique, entre la fantaisie romanesque et le scientifiquement possible, entre l'utopie et le réel. Il met en scène un héros qui découvre un autre monde marqué par l'extraordinaire et par l'étrangeté.

Au XVIIe, puis au XVIIIe siècle, le genre connaît un épanouissement sans précédent. *Les Voyages de Gulliver* de Jonathan Swift (1726), admirés par Voltaire, mêlent de manière exemplaire imagination drolatique et satire philosophique. Le développement de la physique et de l'astronomie favorisa plus particulièrement la vogue des ouvrages de vulgarisation scientifique comme les *Entretiens sur la pluralité des mondes* de Fontenelle (1686), mais aussi des récits de voyages interplanétaires. L'*Histoire comique des États et Empires de la Lune* ue Cyrano de Bergerac (1657) met ainsi en scène un Terrien qui, à l'aide d'une machine volante, débarque sur la Lune et découvre une société régie par un système de valeurs qui prend le contre-pied du nôtre.

Le schéma narratif du voyage imaginaire vise à dépayser, à faire rêver, voire à faire réfléchir le lecteur. Il sert en général de support à un roman initiatique, qui décrit l'évolution des sentiments et des idées d'un jeune héros. Le voyage et ses aventures collaborent à une intention didactique, cherchent à provoquer chez le lecteur une prise de conscience individuelle. La structure narrative de *Micromégas* reprend la plupart des étapes obligées de ce type de récits : enfance, études, départ vécu comme une épreuve, rencontre d'un compagnon de route (chap. I et II), pérégrinations (chap. III), découverte et exploration d'une contrée inconnue (chap. IV à VII). L'extraordinaire et le merveilleux proviennent de l'origine extra-terrestre des deux voyageurs, de leur gigantisme et de leur aisance à se mouvoir entre les planètes. Cependant Voltaire ne cède pas complètement à la pure féerie du conte. Le cadre romanesque ne lui fait pas abdiquer sa rigueur philosophique et la lucidité de son esprit.

LE MERVEILLEUX AU SERVICE DE L'ESPRIT CRITIQUE

Le merveilleux et la féerie, propres au voyage imaginaire, ne sont pour Voltaire que des moyens. Il cherche moins à nous dépayser qu'à nous donner, comme le dit Jacques Van den Heuvel, « une notion exacte de ce qu'est l'homme[1] ». S'il se plaît à mettre en appétit notre imagination, il s'efforce surtout d'éveiller notre lucidité et d'exciter notre esprit critique.

Un changement de perspective

Par rapport à la plupart des récits de voyage dont Voltaire s'inspire, l'auteur introduit dans *Micromégas* un changement de perspective qui accentue son projet critique. En général, en effet, les voyages imaginaires projettent dans des contrées inconnues et fabuleuses des êtres humains, avec leurs limites et leurs étonnements. Ces hommes, comme les héros de Swift ou de Cyrano, rencontrent d'autres créatures, vivant dans d'autres sociétés, ce qui permet implicitement la critique de la nature humaine. Voltaire dans *Micromégas* renverse la perspective : ce ne sont pas les hommes qui vont à la rencontre des étrangers ou des extra-terrestres, mais des observateurs d'un autre monde qui se déplacent sur terre pour étudier et juger l'espèce humaine. Ce renversement de point de vue donne à l'analyse intellectuelle une plus grande pureté, et à la satire une virulence plus forte. La fiction

---

1. *Voltaire dans ses contes*, Paris, éd. Armand Colin, 1967, p. 80.

du personnage de Micromégas sert donc principalement à prendre des distances avec l'homme pour mieux le soumettre à un examen critique. L'invraisemblance du conte libère l'imagination, mais c'est afin de donner à l'esprit critique plus d'efficacité.

▌Une réflexion intellectuelle

Voilà pourquoi Voltaire, tout en donnant l'impression de céder aux séductions du voyage imaginaire, fait en sorte qu'on ne s'y abandonne pas totalement. Le ton parodique en particulier empêche le lecteur d'adhérer à la fiction du conte. Utilisé pour stimuler l'imagination, le merveilleux est vite court-circuité au profit de la réflexion intellectuelle. Quand les deux héros arrivent sur la planète Jupiter, Voltaire n'en profite pas pour nous faire rêver sur la configuration de ce nouveau monde. Il brise aussitôt l'élan du merveilleux par l'évocation du fanatisme des inquisiteurs de son temps :

> Ils apprirent de fort beaux secrets qui seraient actuellement sous presse sans messieurs les inquisiteurs [...] (chap. III).

Sur les moyens de déplacement intersidéral du Sirien, nous n'en apprenons guère plus : il voyage « tantôt à l'aide d'un rayon de soleil, tantôt par la commodité d'une comète [...] » (chap. I). Voltaire ne s'attarde pas à nous étonner sur ces prodiges, car il veut surtout souligner à quel point il est facile à son géant de communiquer avec les autres parties de l'univers.

L'entrée en contact avec les habitants d'un autre monde offre dans les voyages imaginaires traditionnels l'occasion de développements romanesques où le héros ne parvient à se faire comprendre qu'après beaucoup de difficultés. Ce passage obligé du récit de voyage est escamoté dans *Micromégas*. Le géant entre aussitôt en contact avec les humains, apprenant « le français » en quelques instants (chap. VI).

Hormis le dépaysement que procurent la disproportion et l'énormité, on ne rencontre point dans *Micromégas* les décors exotiques, les monstres, les magiciens et les magiciennes, qui d'ordinaire peuplent les voyages imaginaires. En fait, l'univers de Micromégas doit plus aux théories de Newton qu'à la magie des rêves.

UN VOYAGE SOUS LE SIGNE DE NEWTON

▌Un enthousiasme newtonien

Dotés de pouvoirs merveilleux, le Sirien et le Saturnien se meuvent sans vertige dans un espace infini, passant sans aucune gêne d'une planète à une autre. L'itinéraire qu'ils suivent ne doit cependant rien au hasard. Il s'appuie sur les solides connaissances en astronomie que Voltaire a pu développer en étudiant les œuvres du grand savant anglais Isaac Newton (1642-1727). Le périple qui mène Micromégas de Sirius à Saturne, puis de Saturne à la Terre en compagnie du Saturnien, répond à des investigations et à des calculs que Voltaire expose, au moment même de la composition de son roman, dans ses *Éléments de la philosophie de Newton*. La taille de Saturne « neuf cents fois » plus grosse que la Terre ou les « cent cinquante millions de lieues » que les deux géants parcourent avant d'atteindre « les satellites de Jupiter » sont conformes aux dernières recherches astronomiques de l'époque.

Mais plus que le détail des découvertes de Newton, Voltaire s'inspire de sa conception de l'univers. Avec Newton, l'astronomie et la physique prennent véritablement leur essor, s'affranchissent des carcans intellectuels et religieux qui pouvaient encore les entraver. Micromégas, en bon disciple de Newton, maîtrise « merveilleusement les lois de la gravitation » universelle, phénomène par lequel deux corps quelconques s'attirent mutuellement (chap. I).

Toute la première partie du conte baigne ainsi dans une atmosphère d'aisance et de légèreté, qui reflète l'enthousiasme de Voltaire pour les idées libératrices de Newton. Ces géants qui circulent aussi vite que la lumière se meuvent sans terreur dans un univers qu'ils maîtrisent souverainement, un univers limpide, propice à l'essor, aux découvertes, à la communication. Le gouffre cosmique qui angoissait Pascal, « géomètre assez médiocre » et « fort mauvais métaphysicien » (chap. I), est pour ainsi dire pacifié. Les infinis vertigineux, loin d'effrayer, deviennent des espaces attirants, ouverts aux aventures et aux hardiesses de l'esprit.

Micromégas, qui passe, comme en se jouant, d'une planète à l'autre nous communique une allégresse cosmique, une ivresse intersidérale, qui traduisent la confiance que Voltaire met dans l'homme à la fin des années 1730.

L'unité de l'univers

Le pouvoir libérateur des idées de Newton repose sur la certitude que l'univers, régi par les lois de la physique et des mathématiques, se présente au savant d'une manière cohérente et homogène. Tout peut y être comparé, analysé en termes de rapports, soumis à des analogies universelles. Il n'est pas de réalité, si éloignée soit-elle, qui ne puisse faire l'objet de calculs et de mesures. L'ivresse mathématique de Voltaire et de son héros s'étend à l'ensemble de l'univers ; elle explique le sens profond du voyage dans le conte. D'une planète à l'autre, on entre facilement en communication, on se comprend rapidement, on fraternise, parce qu'on se compare, qu'on établit des proportions, parce qu'on manifeste un goût identique pour la mesure et pour la précision. Les habitants des différents globes, les Siriens, les Saturniens, les Terriens, trouvent vite, grâce aux mathématiques, des intérêts communs : seule une différence de proportion les distingue.

Rien n'est plus étranger à Micromégas que l'idée d'une guerre des Étoiles. Au contraire, le cosmos dans tous ses recoins est régi par une civilité universelle, une politesse interstellaire, où la curiosité à l'égard des autres s'accompagne de bienveillance et de bonté. Quand le vaisseau tombe « dans la poche de la culotte du Saturnien », les deux géants cherchent l'équipage et le rajustent « fort proprement » ·

> Le Sirien reprit les petites mites ; il leur parla encore avec beaucoup de bonté […] (chap. VII).

Leçon suprême des lois newtoniennes de la gravitation universelle : tout dans le cosmos s'attire et se répond, désire entrer en relation, appelle au voyage et à la découverte. Tel est pour Voltaire l'idéal de la civilisation, qui se confond avec le *cosmopolitisme*[2].

---

2. *Cosmopolitisme* : attitude de celui qui se considère comme un citoyen de l'univers.

11 | *Micromégas,* un conte philosophique

La fiction chez Voltaire, même dans ses passages les plus empreints de fantaisie ou de merveilleux, sert toujours des intentions philosophiques. *Micromégas* porte d'ailleurs comme sous-titre *Histoire philosophique*. Composé au château de Cirey, à la fin des années 1730, il reflète une des périodes les plus heureuses de la vie de Voltaire, notamment sur le plan intellectuel. On peut y lire, à peine transposées sur le mode de la féerie, ses préoccupations et ses interrogations philosophiques. S'y expriment, en particulier, un enthousiasme et un optimisme à l'égard des pouvoirs de la science et de l'organisation de l'univers, qui auront bien disparu au moment où, cédant à la tentation du désespoir, il écrira *Candide*.

La philosophie qui se dégage de *Micromégas* comprend : la mise en place d'une méthode de connaissance empirique, une critique de la métaphysique, un plaidoyer pour le relativisme, un optimisme modéré.

UNE DÉMARCHE FONDÉE SUR L'EMPIRISME[1]

La mise en place d'une méthode

La fiction romanesque de *Micromégas* met en scène des extra-terrestres, qui ont pour fonction de permettre une plus juste appréciation de l'homme. Le Sirien nous est présenté comme un

---

1. *Empirisme* : méthode de pensée et système philosophique qui ne s'appuient que sur l'expérience, qui considèrent que les connaissances de l'esprit ne sont le fruit que de l'expérience. En tant que philosophie, l'empirisme s'est développé en Angleterre au XVIIIᵉ siècle, sous l'influence de David Hume et de John Locke.

« observateur » avide. À peine débarqué sur terre, il commence aussitôt à créer les conditions nécessaires à son enquête (chap. VI). La particularité du Sirien et du Saturnien est d'occuper par rapport à l'homme une position d'observation privilégiée qui leur permet de l'étudier de l'extérieur, tout en partageant ses préoccupations d'être pensant. Ils ont une conscience humaine, bien qu'ils échappent à la condition humaine. Grâce à ce dédoublement ingénieux, Voltaire veut symboliser la raison humaine qui se prend pour objet. Il crée un processus de mise à distance qui permet de traiter de l'homme comme d'un phénomène scientifique.

Très influencé par l'*Essai sur l'entendement humain* de l'Anglais John Locke (1632-1704), Voltaire fait de Micromégas et du Saturnien des symboles de l'intellect humain posant sur les êtres et les choses un regard empirique et lucide de manière à les rendre à leur vérité première. Pour avoir une notion suffisamment objective de la nature humaine, force est de prendre de la hauteur. Le point de vue de Sirius permet d'échapper à la partialité du point de vue particulier. Micromégas et son compagnon figurent une conscience critique. Ils sont dotés d'une fonction essentiellement méthodologique. Ils proviennent d'un ailleurs qui les met à l'abri des jugements tout faits, puisque leur esprit n'a aucune idée préconçue sur les mondes qu'ils découvrent. Connaître, c'est d'abord créer les conditions idéales de la connaissance, inventer une méthode.

Une connaissance par approches successives

Il n'est jamais possible d'atteindre la vérité du premier coup. On n'y accède qu'après des tâtonnements, des approximations, des erreurs. Pour Voltaire, comme pour son maître Locke, la conquête de la certitude exige un travail lent et patient. La première impression est souvent trompeuse. Après s'être saisi d'une baleine, Micromégas en conclut prématurément que la Terre n'est peuplée que de baleines (chap. IV). Erreur qui ne sera corrigée que grâce à une investigation plus graduelle et plus attentive, à une série d'apprentissages, de coups d'essai et de méprises (chap. IV). Même tâtonnements quand ils découvrent des hommes. Le Saturnien ne peut admettre d'abord que ces créatures microscopiques puissent « parler », « penser », avoir une « âme ». Ce moment de doute ne l'empêche cependant pas d'entreprendre un examen méthodique. « Il faut tâcher d'examiner ces insectes, nous raisonnerons après » (chap. VI).

Ce refus d'en rester à l'impression de départ, ce besoin de dépasser les apparences, de les questionner par une attitude curieuse et méthodique, définissent la candeur critique, la naïveté philosophique des héros de Voltaire. Ils sont préservés des préjugés et des raisonnements *a priori*, qui conduisent à l'erreur et à l'intolérance. Ils découvrent le monde avec un regard jeune, avec une virginité morale et intellectuelle qui permettent de libérer la vérité des carcans qui l'emprisonnent. Voltaire les conçoit comme les symboles de la démarche intellectuelle authentique, qui ne tire des conclusions sur le vrai et le faux qu'à partir d'une analyse poussée et objective des données de l'expérience.

UNE DÉNONCIATION DE LA MÉTAPHYSIQUE[2]

L'obstination de Micromégas et de son acolyte finit par porter ses fruits. Entrés en relation avec les humains, ils commencent par admirer les extraordinaires performances scientifiques de ces « atomes intelligents », avant d'être consternés par la sottise de leurs raisonnements dans le domaine de la métaphysique (chap. VII).

Science et métaphysique

Soucieux d'interroger les humains « pour savoir les choses dont ils convenaient », les deux voyageurs leur font subir un interrogatoire en deux temps. Concernant la première partie de l'examen, le succès est complet : en géométrie d'abord (mesure des corps du Saturnien et de Micromégas), puis en astronomie (décompte de la distance allant « de la Canicule à la grande étoile des Gémeaux »), et

---

2. La métaphysique est une recherche intellectuelle qui se fixe pour objet les domaines de la connaissance échappant à l'expérience concrète comme Dieu, l'au-delà, la nature de l'âme, l'origine du monde ou le sens du mal. Constamment dénoncée par Voltaire, elle appartient à ces systèmes de pensée plaqués arbitrairement sur le réel.

finalement en physique (calcul du poids de l'air par rapport à celui de l'eau). La deuxième partie se révèle au contraire un désastre. Micromégas tente en effet d'aller plus loin dans ses investigations :

> Puisque vous savez si bien ce qui est hors de vous, sans doute vous savez encore mieux ce qui est en dedans. Dites-moi ce que c'est que votre âme, et comment vous formez vos idées (chap. VII).

À l'unanimité précédente succède alors le tintamarre :

> Les philosophes parlèrent tous à la fois comme auparavant ; mais ils furent tous de différents avis » (chap. VII).

Et tous d'alléguer une célèbre autorité philosophique : « Aristote », « Descartes », « Malebranche », « Leibniz », « Locke », « saint Thomas ». Le problème de la nature de l'âme, de sa substance, fait partie pour Voltaire de ces questions métaphysiques auxquelles il faut surtout ne pas tenter de répondre si l'on veut maintenir entre les hommes la paix et la concorde.

> La vérité en métaphysique est hors de portée des hommes.

Lorsque les humains traitent de données scientifiques et quantifiables, l'accord s'établit facilement entre eux, mais dès qu'ils se mettent à pérorer sur la nature de l'âme ou celle de « la matière » (chap. VII), alors c'est la cacophonie et la dissension :

> Nous sommes d'accord, avoue l'un des Terriens, sur deux ou trois points que nous entendons, et nous disputons sur deux ou trois mille que nous n'entendons pas (chap. VII).

Il existe ainsi deux types de connaissances : celles qui s'appuient sur l'analyse concrète de la réalité et qui sont donc susceptibles de créer le consensus ; celles en revanche qui, traitant de l'immatériel et de l'invisible, n'engendrent que chimères et discordes.

Après l'examen où les hommes perdent en un instant tout le crédit qu'ils ont précédemment acquis, Micromégas et le Saturnien quittent la Terre. Cette fuite symbolise la vérité qui déserte les humains empêtrés dans leurs erreurs, incapables à cause de leur sottise et de leur vanité, de se mettre d'accord sur des principes universels. Quant au livre censé contenir la vérité dernière des choses, que Micromégas leur laisse en présent d'adieu, il ne peut être « qu'un livre tout blanc » : la vérité absolue est hors de la portée des hommes. Leçon de modestie infligée à la présomption humaine !

UN PLAIDOYER POUR LE RELATIVISME

La sagesse à laquelle Voltaire nous invite dans *Micromégas* est le relativisme : l'homme doit appréhender l'univers aussi largement que possible de manière à ce qu'il puisse se situer à sa juste place dans l'échelle des êtres et ainsi définir plus convenablement sa nature. Le voyage de Micromégas a justement pour fonction de faire éclater, de relativiser l'importance de la partie en la mesurant au *Tout* :

> J'ai un peu voyagé, avoue modestement le héros ; j'ai vu des mortels fort au-dessous de nous ; j'en ai vu de fort supérieurs [...] (chap. II).

L'homme n'est ni grand, ni petit en soi, il fait partie d'une chaîne de créatures, où chaque élément est à sa place. Il n'est pas un absolu, mais toujours un intermédiaire relatif, à l'image du Saturnien dont l'espérance de vie, deux cents fois supérieure à celle du Terrien, est cependant sept cent fois inférieure à celle du Sirien (chap. II).

Ni Micromégas ni le Saturnien, ni l'homme *a fortiori* ne peuvent donc se considérer comme le centre du monde. En élargissant à l'ensemble du cosmos l'existence d'êtres pensants, Voltaire s'attaque à la présomption de l'homme, lorsqu'il cherche à sortir de sa condition et cède aux tentations de l'anthropocentrisme[3].

L'orgueil humain est cependant inépuisable. Malgré les progrès de la science, beaucoup de philosophes continuent à défendre vaniteusement la prééminence de l'homme dans l'univers et sa capacité à comprendre la totalité des phénomènes. À la fin du conte, « un petit animalcule en bonnet carré » s'avance :

> Il dit qu'il savait tout le secret, que tout cela se trouvait dans la *Somme* de saint Thomas ; il regarda de haut en bas les deux habitants célestes ; il leur soutint que leurs personnes, leurs mondes, leurs soleils, leurs étoiles, tout était fait uniquement pour l'homme.

---

3. *Anthropocentrisme* : attitude qui consiste à faire de l'homme le centre de l'univers.

Ce manque d'humilité ne peut que provoquer un « rire inextinguible » (chap. VII).

UN OPTIMISME MODÉRÉ

Mais si l'homme ne doit plus désormais s'exposer au ridicule de se prendre pour le roi de la création, il ne doit pas non plus se laisser aller à l'angoisse et au désespoir. Les abîmes intersidéraux qui donnaient le vertige à Pascal dans ses *Pensées*, Voltaire nous invite au contraire à en admirer l'équilibre et l'harmonie, à remercier la générosité de la Nature, capable d'une telle variété dans le déploiement de ses ressources. Il cherche en outre, à partir de la description de la situation physique de l'homme dans le cosmos, à l'amener à une plus grande lucidité sur le plan moral, à apprécier ses limites et ses proportions afin de mieux les accepter.

Au moins en ce qui concerne l'organisation générale de l'univers, un certain optimisme se dégage de *Micromégas*, contrairement au pessimisme qui prévaudra dans *Candide,* œuvre postérieure. Bien qu'ils vivent infiniment plus longtemps que les Saturniens et les Terriens, les habitants de Sirius se plaignent de vivre trop peu. Pour Micromégas, il s'agit là, en dépit des différences entre les êtres d'« une loi universelle de la nature » (chap. II), qui prouve sa cohérence. Puisque tout dans l'univers est à sa place, est proportionné, tout ne va pas si mal à condition que chaque créature se contente du rôle qui lui est dévolu. Refusant l'orgueil, mais aussi le désespoir, Voltaire nous propose une morale de l'acceptation, de la modération et de la confiance. Remis à sa juste place dans l'ensemble de l'univers, l'homme peut ainsi jouir plus librement et plus souverainement de son libre arbitre.

12 | *Micromégas,* une argumentation au service du combat des Lumières

FICTION ET ARGUMENTATION

Comme *Zadig*, *Micromégas* est un conte philosophique, qui mêle le plaisir de la fiction à l'argumentation philosophique (→ PROBLÉMATIQUE 7). Voltaire ne se contente pas de distraire et d'amuser ses lecteurs, il mène aussi un dur combat contre la tyrannie politique, l'obscurantisme en matière religieuse et la prétention de ceux qui inventent des systèmes philosophiques. Engagé lui-même dans des luttes intellectuelles et morales, il aspire en outre à mieux faire comprendre son message de tolérance, de vérité et de liberté. *Micromégas* est donc aussi une arme au service d'un idéal, mais une arme qui n'emploie pas les ressources habituelles de la démonstration, telles qu'on peut les trouver dans un traité philosophique ou un pamphlet qui cherche à déstabiliser un individu ou une institution. Il s'agit d'un conte, autrement dit d'une fiction, qui utilise d'une manière différente les arguments employés d'ordinaire dans la polémique.

Voltaire cherche à faire passer deux messages forts dans son récit : d'une part la supériorité du savoir scientifique sur les superstitions religieuses et les vaines spéculations philosophiques, d'autre part la relativité, voire la vanité de la plupart des jugements humains. Plutôt que les diverses argumentations, c'est au bout du compte la possibilité même d'argumenter que le conteur finit par remettre en question.

LA CRITIQUE
DES ARGUMENTATIONS HUMAINES

▌Les conditions de possibilité d'un débat juste

L'argumentation en tant que telle prend une grande place dans le conte : que peut-on prouver ? comment le prouver ? comment convaincre les autres qu'on a raison ? Ces questions hantent le conteur et son porte-parole, Micromégas :

> Supposez-vous d'ailleurs qu'il soit plus difficile de produire un argument qu'un enfant ? Pour moi, l'un et l'autre me paraissent de grands mystères (chap. VI).

À défaut de présenter des argumentations en bonne et due forme, le récit met en scène des lieux et des temps de débat et de confrontation d'idées. On peut ainsi distinguer trois moments principaux : le procès qui oppose le héros aux autorités de la planète Sirius (chap. I) ; le dialogue entre Micromégas et le Saturnien qui devient son compagnon (chap. II) ; le débat enfin entre les deux extra-terrestres et les hommes (chap. VII). Dans ces trois situations, Voltaire s'efforce principalement de figurer des argumentations que la machine fictionnelle du conte va déboulonner. Au chapitre I, l'argumentation des ennemis de Micromégas repose sur la superstition et le fanatisme. C'est au caractère étroit, borné et cruel de la religion que s'en prend ici Voltaire. Il s'agit moins pour le « muphti » (chap. I), chargé de juger le héros, d'exposer une argumentation rationnelle que de se débarrasser d'un individu susceptible de remettre en question les pouvoirs du clergé de la planète Sirius. Il lui suffit de pressentir que les idées contenues dans le livre du jeune homme sentent « l'hérésie » pour qu'il soit condamné. Pas besoin même de les connaître : « Le muphti fit condamner le livre par des jurisconsultes qui ne l'avaient pas lu » (chap. I).

L'argumentation qui cherche authentiquement la vérité suppose d'abord qu'on ait la possibilité d'exposer son point de vue, que la contestation ait droit de cité, que le procès soit organisé de manière équitable. Or, au XVIIIe siècle, la justice est souvent corrompue ou bien aux mains de fanatiques intolérants, à l'exemple de ceux qui condamnèrent le protestant Calas, accusé d'avoir empêché son fils de se convertir au catholicisme. Voltaire s'engagea avec un grand courage dans la défense de Calas.

La critique des faux débats

Avec le Saturnien, et surtout avec les hommes, le débat prend un tour plus philosophique. Voltaire s'en prend ici à la manie humaine de bâtir des systèmes de pensée pour justifier à tout prix le sens de l'existence. Il s'amuse constamment à en faire la satire :

> L'aumônier du vaisseau récita les prières des exorcismes, les matelots jurèrent, et les philosophes du vaisseau firent un système ; mais quelque système qu'ils fissent, ils ne purent jamais deviner qui leur parlait (chap. VI).

Ensuite le conteur prend un malin plaisir à mettre en contradiction les argumentaires, voire à mettre en évidence leur caractère absurde et illusoire. Les débats humains ne mènent le plus souvent à rien, comme le reconnaît l'un des membres de l'expédition : « nous sommes d'accord sur deux ou trois points que nous entendons, et nous disputons sur deux ou trois mille que nous n'entendons pas » (chap. VII). Or les hommes ne peuvent s'empêcher d'argumenter. Le conte, pour les disqualifier et souligner leur bêtise, met en scène une *polyphonie*, qui multiplie les voix discordantes et finit par tourner à la cacophonie :

> Les philosophes parlèrent tous à la fois comme auparavant ; mais ils furent tous de différents avis (chap. VII).

Micromégas les interroge notamment sur la question de « l'âme » et de la formation des idées, puis sur la définition de « l'esprit » et celle de la « matière ». À chaque fois le débat s'embourbe, tellement les argumentations des hommes se révèlent contradictoires. Chacun pense l'emporter en usant de l'*argument d'autorité*, qui consiste, pour asseoir son raisonnement, à alléguer un auteur supposé absolument digne de foi, comme « Aristote », « Descartes », « Malebranche », « Leibnitz » ou « Locke » (chap. VII).

Micromégas révèle ainsi un grand scepticisme de la part de Voltaire face aux argumentations humaines concernant le sens de notre destinée. Ce scepticisme est symbolisé par le livre que le héros laisse en quittant la Terre et qui, une fois ouvert, ne contient que des pages blanches.

LES STRATÉGIES ARGUMENTATIVES
DU CONTEUR

Si Voltaire se montre indigné par ceux qui imposent leur loi sans la justifier ni l'argumenter, s'il demeure sceptique face aux spéculations humaines concernant la destinée, il travaille cependant à faire passer dans *Micromégas* certaines des idées les plus fortes de la philosophie des Lumières. Le récit merveilleux qu'il nous propose vise d'abord à faire valoir le principe de la relativité des croyances. Le jeu sur la proportion et la disproportion, sur le grand et le petit, qui fait le comique du conte, doit amener le lecteur à comprendre qu'aucune idée humaine ne peut prétendre à être une vérité absolue et intangible. La fiction en tant que telle, grâce à l'enchantement qu'elle suscite, joue ainsi le rôle d'un argument. Par le plaisir du jeu et du récit, elle permet de faire passer plus sûrement un message, à l'époque très subversif, puisqu'il contredit les autorités qui détiennent le pouvoir. Comme La Fontaine avec la fable, Voltaire joue de la magie merveilleuse du conte, pour persuader et faire comprendre son point de vue.

Mais il continue aussi, à travers les déclarations de son héros, son inlassable combat pour la vérité et la liberté de pensée. Comme *Zadig*, *Micromégas*, oppose deux types d'argumentation : le premier repose sur des préjugés et des croyances, le second sur la science et le savoir scientifique. Le héros, en philosophe des Lumières, imbibé des idées de *L'Encyclopédie*, se veut avant tout un scientifique, qui compte, qui calcule, qui mesure, qui évalue. « C'est un bon observateur » (chap. I), un « géomètre » (chap. VI). C'est l'adverbe interrogatif « combien » qui revient le plus à ses lèvres : « Combien les hommes de votre globe ont de sens » ; « Combien de temps vivez-vous ? » ; « Combien comptez-vous de ces propriétés diverses dans votre matière ? » (chap. II) ; « Combien comptez-vous, dit-il, de l'étoile de la Canicule à la grande étoile des Gémeaux » ; « Combien comptez-vous d'ici à la lune ? » ; « Combien pèse votre air ? » (chap. VII). Micromégas, l'arpenteur du cosmos, pose sur le monde un regard scientifique et mathématique. À défaut de spéculer sur le sens de la destinée, il passe son temps à faire des calculs et à établir des proportions. Dans les *Éléments de la philosophie de Newton*, Voltaire écrit une phrase qui fournit l'une des clefs de l'argumentation philosophique dans *Micromégas* :

> L'homme n'est pas fait pour connaître la nature intime des choses ; il peut seulement calculer, mesurer, peser et expérimenter.

Aux yeux de Voltaire, comme des grands philosophes des Lumières, c'est l'*argument logique*, fondé sur l'expérience concrète et l'enquête scientifique, qui est le plus susceptible de mettre tous les hommes d'accord par des propositions justes et vérifiables. Plutôt que de se battre en accordant une valeur absolue à des êtres ou à des objets pris séparément, Voltaire et son héros considèrent qu'il est plus judicieux de les comparer, de les inscrire dans des rapports de proportion les uns par rapport aux autres de manière à connaître scientifiquement l'univers.

Ce n'est pas le moindre paradoxe du conte que de mettre dans la bouche d'un personnage de pure fantaisie des argumentations qui se réclament de la seule raison et du discernement le plus rigoureux.

13 | Le comique dans *Micromégas*

Au-delà de son contenu philosophique, le conte se caractérise surtout par sa tonalité gaie et malicieuse. Voltaire ne cherche pas tant à nous transmettre un message qu'à nous communiquer une certaine attitude de pensée. Il voudrait nous aider à ne pas être dupes des apparences, à nous libérer des préjugés et des oppressions intellectuelles qui nous empêchent d'être nous-mêmes. Trois éléments principaux composent ce comique : la satire, la parodie et l'humour.

LA SATIRE

Les cibles de la satire

La satire dans *Micromégas* vise principalement la présomption de l'homme. La description de sa petitesse physique est toujours accompagnée d'un jugement moral qui le dévalorise. Il croit habiter un empire dans l'univers alors qu'il ne s'agit que d'un « petit tas de boue » (chap. I), un « chaos » où tout est « mal construit », « irrégulier », « ridicule » (chap. IV). Voltaire se plaît à l'humilier, à le faire chuter des fausses dignités dans lesquelles il se drape. Pour leur parler, Micromégas ne trouve rien de mieux à leur proposer qu'« une rognure de l'ongle de son pouce » (chap. VI). Le regard en surplomb des deux géants est d'abord présenté comme un regard de supériorité, voire de mépris. Lorsqu'il arrive sur Saturne, Micromégas ne peut « se défendre de ce sourire de supériorité qui échappe quelquefois aux plus sages » (chap. I). Les deux voyageurs aperçoivent la Terre : « cela fit pitié à des gens qui venaient de Jupiter » (chap. III). Micromégas s'étonne de découvrir de l'intelligence chez les hommes, « substances qui paraissent si méprisables » (chap. vi). Apprenant qu'ils passent leur temps à s'entre tuer, il « se sentit ému de pitié pour la petite race humaine » (chap. vii)

L'homme apparaît surtout comme une créature risible. Au début de ses relations avec eux, Micromégas « se prit à rire [...] de l'excès de petitesse dont étaient les habitants de notre globe » (chap. iv). Passé le moment d'admiration pour leurs performances scientifiques, les hommes finissent par provoquer chez les deux voyageurs « un rire inextinguible », qui les fait chuter « dans une poche de la culotte du Saturnien » (chap. vii). Culbute symbolique, avant l'humiliation finale du livre censé voir « le bout des choses », mais qui s'avère être « un livre tout blanc ». Micromégas quitte la Terre, « fâché dans le fond du cœur de voir que les infiniment petits eussent un orgueil presque infiniment grand » (chap. vii).

Le relativisme satirique, mis en place dans *Micromégas*, prend aussi pour cible la guerre. En philosophe des Lumières, Voltaire dénonce la guerre comme une barbarie destructrice, contraire aux progrès de la civilisation. Comme « ces batailles qui font gagner au vainqueur un village pour le perdre ensuite » sont dérisoires à l'échelle de l'univers ! Les guerriers ont beau faire des efforts pour être plus remarqués, ils ne peuvent être que ridicules par rapport à l'immensité du cosmos :

> Je ne doute pas que, si quelque capitaine des grands grenadiers lit jamais cet ouvrage, il ne hausse de deux grands pieds au moins les bonnets de sa troupe ; mais je l'avertis qu'il aura beau faire, que lui et les siens ne seront jamais que des infiniment petits (chap. v).

Dès que Voltaire aborde le thème de la guerre, son comique devient grinçant :

> À l'heure que je vous parle il y a cent mille fous de notre espèce couverts d'un chapeau, qui tuent cent mille autres animaux couverts d'un turban, ou qui sont massacrés par eux [...] (chap. vii).

La plaisanterie devient sarcasme lorsque Voltaire dénonce les massacres, où des « millions d'hommes [...] se font égorger » pour la possession « de quelque tas de boue ». Il utilise aussi l'ironie, qui consiste en l'occurrence à adopter un ton faussement naïf pour décrire un fait scandaleux. Ainsi à propos du « tas de boue » : « Il ne s'agit que de savoir s'il appartiendra à un certain homme qu'on nomme Sultan ou à un autre qu'on nomme, je ne sais pourquoi, César. » Parfois même, le Sirien laisse éclater carrément son indignation : il lui prend envie « d'écraser toute cette fourmilière d'assassins ridicules » (chap. VII).

▌Les armes de la satire

La satire dans *Micromégas* repose principalement sur l'opposition du petit et du grand, du micro et du méga. Le conte se présente en effet comme un passage progressif du gigantesque à l'infinitésimal, du macrocosmique au microscopique, du point de vue des Siriens à celui des Saturniens, puis à celui des Terriens, qui eux-mêmes « dissèquent des mouches » (chap. VII).

Voltaire s'étend longuement sur le gigantisme du Sirien, en soulignant sa *grandeur* et sa *hauteur* (chap. I). Son compagnon, qui est lui aussi un géant, apparaît cependant comme un « nain » (chap. II et VII). Cette grandeur et cette hauteur mettent en évidence, par antithèse et par contraste, la *petitesse* de la Terre et de ses habitants : « Enfin ils aperçurent une petite lueur ; c'était la terre […] » (chap. III). Par rapport à Sirius et à Saturne, la Terre est constamment rapetissée : « notre petite fourmilière », « notre petite terre », « notre petit tas de boue » (chap. I), « notre petit globe » (chap. III). Aux deux géants extra-terrestres, « la *Méditerranée* » semble une « mare presque imperceptible » et le « grand Océan » un « petit étang » ; les grands fleuves leur paraissent de « petits ruisseaux » et les hautes montagnes de « petits grains pointus » (chap. IV). Quant aux hommes ce sont des « atomes », des « petites machines », « des infiniment petits », des « êtres imperceptibles ». Les deux héros ne peuvent les voir que grâce à des « diamants » qui leur servent de « microscopes » (chap. IV).

De ces différences entre le gigantesque et l'infinitésimal naît un comique de « l'extrême disproportion » (chap. VII), dont le narrateur se plaît à souligner malicieusement les effets : « Ceux qui ne voyagent qu'en chaise de poste ou en berline seront sans doute étonnés des équipages de là-haut […] » (chap. I) ; « Figurez-vous (s'il est permis de faire de telles comparaisons) un très petit chien de manchon qui suivrait un capitaine des gardes du roi de Prusse » (chap. V).

L'argument *a fortiori* est une autre façon de souligner la disproportion entre les géants et les hommes. Il consiste en l'occurrence à rendre l'homme *à plus forte raison* dérisoire si on le mesure à l'échelle des deux géants. Le Saturnien qui vit des milliers d'années se plaint pourtant à Micromégas de la brièveté de l'existence « c'est mourir presque au moment que l'on est né [...] ; je me trouve comme une goutte d'eau dans un océan immense » (chap. II). Si le Saturnien se considère déjà comme quasiment rien dans l'univers, l'homme *a fortiori* est encore moins que rien.

Mais c'est grâce au procédé traditionnel de l'animalisation, que Voltaire rabaisse le plus constamment l'orgueil humain. Loin d'être le maître de la Nature, l'homme n'est qu'« un petit animalcule ». Les habitants de la Terre, du point de vue de Sirius ne sont que de « chétifs animaux » (chap. VII), « de petits insectes » (chap. I), de « petites mites » (chap. VII), « des insectes invisibles » (chap. VI) ; même un philosophe ne doit pas oublier qu'il n'est guère plus qu'une « mite philosophique » (chap. VII). Quant à notre globe, il tient à la fois de la « taupinière » (chap. IV) et de la « fourmilière » (chap. VII). L'être humain, transformé en objet d'étude, est ainsi mis sur le même plan que les « puces » et les « colimaçons », que Micromégas, en naturaliste et en entomologue, étudia sur Sirius, avant d'en être chassé (chap. I).

LA PARODIE

Le comique voltairien recourt aussi beaucoup à la parodie, qui consiste à utiliser de manière impertinente et railleuse une forme littéraire sérieuse.

Une parodie des voyages imaginaires

Micromégas se présente d'abord comme une parodie de voyage imaginaire. Il joue avec des schémas narratifs, des thèmes et un langage qui sont ceux d'un genre relativement bien codifié (→PROBLÉMATIQUE 10). Voltaire donne ainsi à chaque chapitre des titres qui pastichent ceux que l'on rencontre dans les récits de voyage : *Ce qui leur arrive sur le globe de la terre* (chap. IV), *Ce qui leur arriva chez les hommes* (chap. VI).

Une parodie de roman de formation

Micromégas est par ailleurs une parodie de roman de formation. Dans ce type de livres, un héros jeune et inexpérimenté conquiert sa liberté et son identité au terme d'une série d'épreuves et d'aventures, qui prennent la forme d'un voyage initiatique. Micromégas se met ainsi à voyager « pour achever de se former *l'esprit et le cœur*, comme l'on dit » (chap. I). L'italique et l'expression « comme l'on dit » marquent l'intention parodique de l'auteur. Voltaire requiert la complicité du lecteur. Il lui propose un jeu avec une forme de roman stéréotypée. Le stéréotype apparaît d'une manière d'autant plus frappante que Micromégas formera son esprit au cours du roman, mais non son cœur, puisqu'il ne connaîtra personnellement aucune aventure amoureuse. Comme nous l'avons vu précédemment, le merveilleux propre au voyage imaginaire n'est pour Voltaire qu'un décor, qu'un prétexte au service de sa démonstration philosophique. Il fait tout pour qu'on n'y croie pas.

Une parodie du roman sentimental

Voltaire s'amuse en outre à parodier les intrigues et le style d'un troisième type de livres : le roman dit *sentimental* ou *larmoyant*, dont les lectrices du XVIIIᵉ siècle raffolaient. Ces livres mettent en scène des âmes pures et vertueuses en proie aux tourments de la passion amoureuse, mais en butte à la méchanceté d'êtres sans scrupules. Avant de quitter sa planète, « la maîtresse du Saturnien [...] vint en larmes faire des remontrances ». La scène classique du *dépit amoureux* avec ses expressions stéréotypées sombre dans le ridicule, sous l'effet de la déformation gigantesque :

> Ah ! cruel ! s'écria-t-elle, après t'avoir résisté quinze cents ans, lorsque, enfin je commençais à me rendre, quand j'ai à peine passé cent ans entre tes bras, tu me quittes pour aller voyager avec un géant d'un autre monde [...].

Cette « jolie petite brune qui n'avait que six cent soixante toises » est en fait une sœur de Cunégonde. Elle a beau protester qu'elle n'aimera « jamais plus personne », dès que son amant est parti, elle cesse vite de se morfondre et va « se consoler avec un petit maître du pays » (chap. III). L'idéalisme de l'amour passion est ici réduit à des simagrées dénuées de noblesse.

L'HUMOUR

« Le point de vue de Sirius »

Micromégas, qui représente le point de vue de Sirius, apparaît comme une incarnation et un symbole de l'humour voltairien. Qu'est-ce en effet l'humour sinon la capacité de mettre l'événement présent en perspective, de prendre du recul et de la distance, de manière à ne pas être prisonnier des apparences et à instaurer avec la vie le plaisir d'un rapport ludique ? *Micromégas* nous invite à passer du point de vue du micro, où l'esprit adhère servilement à la réalité, au point de vue du méga, source de plaisir et de liberté.

Voltaire est cependant loin de partager la naïveté de ses héros. Il se délecte à jouer avec la candeur de Micromégas. Le *point de vue de Sirius* se révèle en effet le point de vue de l'idéalisme et de l'utopie, que dément l'observation du réel. Impressionné par l'habileté scientifique des Terriens, le Sirien s'exclame :

> Vous devez, sans doute, goûter des joies bien pures sur votre globe ; […] vous devez passer votre vie à aimer et à penser […]. Je n'ai vu nulle part le vrai bonheur, mais il est ici, sans doute (chap. VII).

Optimisme de courte durée, puisqu'on lui apprend que les hommes passent surtout leur temps à s'entre-tuer. De même, le géant ne doute pas que les Terriens, si adroits pour résoudre des problèmes de géométrie, ne sachent aussi ce qu'est l'« âme ». Une fois encore, il sera cruellement déçu (chap. VII). Il n'y a pas d'humour sans un certain idéalisme déçu, sans une confrontation implicite du réel et de l'idéal.

L'impertinence du narrateur

L'humour de Voltaire s'exprime enfin largement à travers le personnage du narrateur, censé rapporter les aventures des deux géants. Ce narrateur, qui tient beaucoup de l'auteur lui-même par son impertinence et par son extrême vivacité intellectuelle, cherche à faire du lecteur un complice de ses facéties. Nul n'est dupe par exemple du cabotinage avec lequel il présente un récit abracadabrant comme la pure vérité historique :

> Je vais raconter ingénument comme la chose se passa, sans y rien mettre du mien, ce qui n'est pas un petit effort pour un historien (chap. IV).

Même impertinence pour présenter un détail obscène en affectant un scrupule de conscience :

> Nos philosophes lui plantèrent un grand arbre dans un endroit que le docteur Swift nommerait, mais que je me garderai bien d'appeler par son nom, à cause de mon grand respect pour les dames (chap. VI).

Faux naïf, le narrateur s'amuse à présenter avec aplomb des réalités qui font sourire, avant de nous conduire à la prise de conscience d'un scandale ou d'une imposture. « Le muphti » de Sirius fait ainsi condamner le livre de Micromégas sur les « puces » et les « colimaçons », « par des jurisconsules qui ne l'avaient pas lu [...] » (chap. I). Le narrateur se paie même le luxe malicieux de manifester un mouvement de vanité blessée, lorsqu'il constate que les deux extra-terrestres ne remarquent pas l'existence des Terriens :

> Ils ne reçurent pas la moindre sensation qui pût leur faire soupçonner que nous et nos confrères les autres habitants de ce globe avons l'honneur d'exister (chap. IV).

L'impertinence du narrateur se traduit enfin par de très nombreuses allusions à l'actualité. Les géomètres en descendant sur le doigt du Sirien, prennent leurs instruments de géométrie, mais ils n'oublient pas d'emmener avec eux « deux filles laponnes » (chap. I). Ce détail est véridique. Maupertuis et ses collaborateurs ramenèrent en effet chez nous deux Laponnes. Voltaire en fit aussitôt des gorges chaudes : composa même un poème en l'honneur de ces martyres de la science. Art suprême du détail ridicule qui dégonfle la baudruche, en permettant à la fantaisie et au rire de prendre leur essor.

TROISIÈME PARTIE

Lectures analytiques

Le grand veneur et le premier eunuque ne doutèrent pas que Zadig n'eût volé le cheval du roi et la chienne de la reine ; ils le firent conduire devant l'assemblée du grand desterham, qui le condamna au knout et à passer le reste de ses jours en Sibérie. À peine le
5 jugement fut-il rendu qu'on retrouva le cheval et la chienne. Les juges furent dans la douloureuse nécessité de réformer leur arrêt ; mais ils condamnèrent Zadig à payer quatre cents onces d'or pour avoir dit qu'il n'avait point vu ce qu'il avait vu. Il fallut d'abord payer cette amende , après quoi il fut permis à Zadig de plaider sa cause
10 au conseil du grand desterham : il parla en ces termes .

« Étoiles de justice, abîmes de science, miroirs de vérité qui avez la pesanteur du plomb, la dureté du fer, l'éclat du diamant et beaucoup d'affinité avec l'or ! Puisqu'il m'est permis de parler devant cette assemblée, je vous jure par Orosmade que je n'ai
15 jamais vu la chienne respectable de la reine, ni le cheval sacré du roi des rois. Voici ce qui m'est arrivé. Je me promenais vers le petit bois, où j'ai rencontré depuis le vénérable eunuque et le très illustre grand veneur. J'ai vu sur le sable les traces d'un animal, et j'ai jugé aisément que c'étaient celles d'un petit chien. Des sillons légers et
20 longs, imprimés sur de petites éminences de sable, entre les traces des pattes, m'ont fait connaître que c'était une chienne dont les mamelles étaient pendantes, et qu'ainsi elle avait fait des petits il y a peu de jours. D'autres traces en un sens différent, qui paraissaient toujours avoir rasé la surface du sable à côté des pattes de devant,
25 m'ont appris qu'elle avait les oreilles très longues ; et, comme j'ai remarqué que le sable était toujours moins creusé par une patte que par les trois autres, j'ai compris que la chienne de notre auguste reine était un peu boiteuse, si je l'ose dire. »

INTRODUCTION

▌Situer le passage

La chienne de la reine de Babylone et le cheval du roi ont disparu
Zadig se trouve victime d'un malentendu. Il n'a pas vu directement
les deux animaux, mais il est capable par déduction, en observant
les traces laissées par les animaux, de les décrire à l'« eunuque » et
au « grand veneur » (l. 17-18) partis à leur recherche. Il n'en faut pas
plus pour qu'il soit accusé de vol .

▌Dégager des axes de lecture

Cet extrait est caractéristique de l'art de Voltaire dans les contes.
On peut l'analyser selon deux axes : derrière la fantaisie qui entraîne
le récit et qui anime les péripéties, le conteur se livre à une satire
féroce de la justice ; il expose en même temps certains des idéaux
chers à la philosophie des Lumières.

PREMIER AXE DE LECTURE
UNE SATIRE FÉROCE DE LA JUSTICE

▌Une justice bafouée

Ce passage décrit les conditions dans lesquelles le héros est jugé
et condamné alors qu'il est innocent. Voltaire s'en prend à un
système judiciaire qui ne tient absolument pas compte de la justice,
de la vérité et des droits les plus élémentaires de la défense. Les
juges ne font pas leur travail. Ils sont cruels : ils ont « la dureté du
fer » (l. 12) ; ils sont corrompus : ils ont « beaucoup d'affinité avec
l'or » (l. 13), c'est-à-dire qu'ils n'agissent que par appât du gain.

Le récit, mené à un rythme rapide, pousse jusqu'à l'absurde cette
justice expéditive. Il suffit que « le grand veneur et le premier
eunuque » (l. 1) soient persuadés de la culpabilité de Zadig, pour que
cette culpabilité soit acquise. Aucune preuve n'est apportée, aucun
procès contradictoire n'est organisé. Le récit se contente de
juxtaposer l'accusation et la sentence, sans évoquer une éventuelle

défense de l'accusé. Le caractère scandaleux de la procédure tourne au ridicule, quand par une ironie du sort, finement arrangée par le conteur, on retrouve les animaux volés : « À peine le jugement fut-il rendu qu'on retrouva le cheval et la chienne » (l. 4-5). La rapidité du déroulement des péripéties fait se télescoper les événements de telle sorte que l'iniquité des juges est mise en évidence.

L'accélération du récit, son tempo rapide, ont une fonction satirique. Il s'agit de souligner l'absurdité et la bêtise d'une institution qui contredit les évidences les plus criantes. Les juges ne semblent animés que par la cupidité. C'est pourquoi, bien que Zadig soit innocent, ils le condamnent à une très lourde amende, pour un motif qui atteint un sommet de sottise et d'iniquité : on le condamne « pour avoir dit qu'il n'avait point vu ce qu'il avait vu » (l. 8). Formule en trois temps, rythmée par les monosyllabes « dit », « vu », « vu », qui est un chef-d'œuvre de la satire voltairienne à l'encontre de l'acharnement et de la mauvaise foi des magistrats.

La construction du récit permet en outre de dénoncer une autre monstruosité de ce procès qui n'en est pas un. Ce n'est qu'après avoir été condamné et acquitté que le héros peut enfin se défendre : « après quoi il fut permis à Zadig de plaider sa cause » (l. 9). Tous ces manquements et ces absurdités, qui reposent sur un déroulement aberrant des événements, suggèrent implicitement ce que serait une justice véritable, conduite par des magistrats intègres. Zadig, qui sera en position de juge au chapitre VI, incarnera cette justice pour laquelle Voltaire se bat si courageusement : « Quand il jugeait une affaire, ce n'était pas lui qui jugeait, c'était la loi » ; « C'est de lui que les nations tiennent ce grand principe : qu'il vaut mieux hasarder de sauver un coupable que de condamner un innocent ».

Le comique et l'ironie

Le comique naît d'abord, comme nous venons de le voir, du tempo rapide avec lequel est conduit le récit. Par l'accélération, la juxtaposition, la concentration, Voltaire fait éclater l'absurde et suscite le rire. La démonstration de Zadig, par la précision de ses observations et par l'accumulation des détails, est également propice à créer un effet comique. Lui aussi fait un récit mais avec l'optique d'un observateur attentif qui exprime simplement le résultat de ses investigations. Le réalisme des détails finit cependant par conférer un caractère merveilleux et magique à ses dons d'observation : « Des sillons légers et longs, imprimés sur de petites éminences de sable, entre les traces des pattes, m'ont fait connaître que c'était une chienne dont les mamelles étaient pendantes, et qu'ainsi elle avait fait des petits il y a peu de jours » (l. 19-23). Le mélange de notations animales (« pattes », « chienne », « mamelles », « pendantes », « petits ») et de précisions scientifiques (« sillons », « petites éminences ») crée un effet burlesque. Il en va de même pour les termes qui donnent au texte une couleur orientale : « eunuque » (l. 1 et 17), « desterham » (l. 3), « knout » (l. 4), « Orosmade » (l. 14), « roi des rois » (l. 15-16). Ces termes suggèrent un décalage comique et distancié avec l'omniprésence dans le texte du langage judiciaire : « condamna » (l. 3), « jugement » (l. 5), « juges » (l. 6), « réformer leur arrêt » (l. 6), « amende » (l. 9), « plaider » (l. 9)… Voltaire s'amuse ainsi à disqualifier cette justice corrompue en la travestissant par un décor oriental, pour lui synonyme d'artifice, de mensonge et d'illusion.

L'ironie, qui consiste à dire le contraire de ce que l'on pense, mais de telle manière que l'interlocuteur ou le lecteur perçoive nettement ce que l'on pense vraiment, est l'arme par excellence de la satire chez Voltaire. Pour mieux disqualifier ceux qu'il critique, il fait souvent mine d'adopter leur point de vue. Il exprime leurs positions mais d'une manière qui les fasse apparaître ridicules et scandaleuses.

L'entrée en matière du discours de Zadig à ses juges fournit un bon exemple d'ironie : « Étoiles de justice, abîmes de science, miroirs de vérité qui avez la pesanteur du plomb, la dureté du fer, l'éclat du diamant et beaucoup d'affinité avec l'or ! » (l. 11-13). Conformément aux préceptes de la rhétorique classique, le plaidoyer de Zadig commence par un éloge, destiné à se ménager la bienveillance des juges. Mais l'accumulation de ces louanges hyperboliques est vite à prendre au second degré. Le contenu élogieux des trois premières expressions (« Étoiles de justice, abîmes de science, miroirs de vérité ») est démenti par la proposition relative qui introduit des jugements réalistes sur la bêtise, la cruauté et la cupidité des juges : « qui avez la pesanteur du plomb, la dureté du fer, l'éclat du diamant et beaucoup d'affinité avec l'or ! » Voltaire par ce discours à double entente rend palpable le décalage entre l'apparence et le réel.

SECOND AXE DE LECTURE
LE COMBAT POUR LES LUMIÈRES

Un discours scientifique

Zadig, comme Voltaire lui-même, qui participe activement à *L'Encyclopédie*, marque beaucoup d'intérêt pour la science. Pour les philosophes des Lumières, en lutte contre toutes les formes du fanatisme et de la bêtise, la science avec sa rigueur mathématique est le meilleur moyen d'éclairer la conscience des individus. Alors que les discours des fanatiques sont obscurs et incompréhensibles, il est possible d'accorder les esprits sur des données concrètes, vérifiées par une enquête objective et par les données de l'expérience. La vérité aux yeux de Voltaire doit s'appuyer sur l'observation honnête et sérieuse du réel.

C'est pourquoi, au début du chapitre III, on voit Zadig passer le plus clair de son temps à étudier les sciences, notamment la zoologie et la botanique : « Il étudia surtout les propriétés des animaux et des plantes, et il acquit bientôt une sagacité qui lui découvrait mille différences où les hommes ne voient rien que d'uniforme. » C'est grâce à ces connaissances qu'il peut se livrer à de savantes déductions. Son discours s'articule autour de formules qui expriment l'observation, le jugement et la réflexion : « j'ai vu » (l. 18), « j'ai jugé » (l. 18), « m'ont fait connaître » (l. 21), « m'ont appris » (l. 25), « j'ai remarqué » (l. 25), « j'ai compris » (l. 27).

Son discours met bien en évidence en outre les liens de cause à conséquence, qui fondent la validité du jugement : « J'ai vu sur le sable les traces d'un animal, *et* j'ai jugé aisément » (l. 18-19) ; la conjonction de coordination « et » établit ici le lien logique entre la cause et la conséquence. On voit l'esprit du héros réfléchir et établir entre les phénomènes des chaînes de causalité : « *Comme j'ai remarqué* que le sable était toujours moins creusé par une patte que par les trois autres, *j'ai compris* que la chienne de notre auguste reine était un peu boiteuse » (l. 25-28) ; la proposition de cause introduite par « comme », donne à la proposition principale toute sa valeur de conséquence.

▌Le passage de l'erreur à la vérité

On peut définir la philosophie des Lumières comme une tentative de faire passer les esprits et les consciences de l'ombre à la lumière. À l'obscurantisme qui maintient les individus dans l'ignorance et la servitude, Voltaire veut opposer le caractère irréfutable et universel de la raison, lorsqu'elle s'appuie sur des données concrètes et scientifiquement démontrables. Le texte que nous étudions offre ainsi une composition en deux mouvements. Elle oppose la justice expéditive et fanatique des juges de Babylone, qui s'en tiennent à des témoignages non vérifiés, à la rigueur scientifique du jeune héros, qui étaye patiemment sa démonstration. Le mouvement même du texte opère ainsi un travail de dévoilement de la vérité, un passage de l'ombre à la clarté, de l'erreur à la vérité.

Telle est la formule du conte dans son ensemble et la fonction du personnage de Zadig. Le héros, à chaque fois qu'il prend la parole, après des discours ineptes ou des événements absurdes, agit comme un révélateur de la vérité. Rappelons qu'il préfère « l'être au paraître » (chap. IV) et que son talent principal est « de démêler la vérité, que tous les hommes cherchent à obscurcir » (chap. VI). Le conte voltairien vise ainsi à donner une sensation de lumière et de liberté.

La leçon qui se dégage de cet apologue découle donc moins du contenu que de l'énonciation, que de la manière avec laquelle le conteur nous indique sa démarche, sa méthode, autrement dit le chemin à suivre. Pour Voltaire, la vérité n'apparaît jamais spontanément, et de plus elle n'est jamais bonne à dire. Il faut d'abord l'arracher à l'erreur, au préjugé, à tous ceux qui manipulent les apparences pour conserver leur pouvoir. La vérité implique d'abord un combat, une lutte, une phase critique et polémique. C'est pourquoi la situation fondamentale de Zadig est celle du *conflit*, ici avec des juges. L'établissement de la vérité passe en premier par l'écrasement parfois violent de ceux qui persistent dans l'erreur.

Il en va de même pour la liberté. Zadig est constamment en situation de prisonnier ou de personnage traqué. La liberté, c'est d'abord pour lui l'obsession de la libération, le désir de s'arracher aux chaînes de la servitude et de la tyrannie. Qu'il s'agisse de la vérité ou de la liberté, un effort et un combat sont nécessaires. Ni l'une ni l'autre ne sont données.

CONCLUSION

Ce texte vif et très satirique est à l'image du conte et de sa démarche. Il comprend un aspect de critique féroce par le biais du comique et de l'ironie. Il s'agit d'abord de démolir les fausses valeurs qui maintiennent des situations de servitude et d'exploitation. Mais Voltaire ne se contente pas d'être un esprit négatif. Il propose une alternative : l'exercice honnête et patient de la raison, seule capable d'accorder véritablement les consciences des hommes, mais aussi la tolérance, la nécessité du débat contradictoire, de donner à l'autre la possibilité de s'exprimer. Le sérieux de l'entreprise n'empêche cependant pas Voltaire de rester gai, de tirer avec humour, de l'énormité du combat dans lequel il s'est engagé, l'énergie qui naît de la jouissance d'un esprit qui pense en toute liberté.

Texte 2 | *Zadig*
(« Le souper », chapitre XII)

« Vous êtes de grands ignorants tous tant que vous êtes, s'écria le Grec ; est-ce que vous ne savez pas que le chaos est le père de tout, et que la forme et la matière ont mis le monde dans l'état où il est ? » Ce Grec parla longtemps ; mais il fut interrompu par le Celte,
5 qui, ayant beaucoup bu pendant qu'on disputait, se crut alors plus savant que tous les autres, et dit en jurant qu'il n'y avait que Teutath et le gui de chêne qui valussent la peine qu'on en parlât ; que, pour lui, il avait toujours du gui dans sa poche ; que les Scythes, ses ancêtres, étaient les seuls gens de bien qui eussent jamais été au
10 monde ; qu'ils avaient, à la vérité, quelquefois mangé des hommes, mais que cela n'empêchait pas qu'on ne dût avoir beaucoup de respect pour sa nation ; et qu'enfin, si quelqu'un parlait mal de Teutath, il lui apprendrait à vivre. La querelle s'échauffa pour lors, et Sétoc vit le moment où la table allait être ensanglantée. Zadig, qui
15 avait gardé le silence pendant toute la dispute, se leva enfin : il s'adressa d'abord au Celte, comme au plus furieux ; il lui dit qu'il avait raison, et lui demanda du gui ; il loua le Grec sur son éloquence, et adoucit les esprits échauffés. Il ne dit que très peu de choses à l'homme du Cathay, parce qu'il avait été le plus
20 raisonnable de tous. Ensuite il leur dit : « Mes amis, vous alliez vous quereller pour rien, car vous êtes du même avis. » À ce mot, ils se récrièrent tous. « N'est-il pas vrai, dit-il au Celte, que vous n'adorez pas ce gui, mais celui qui a fait le gui et le chêne ? – Assurément, répondit le Celte. – Et vous, monsieur l'Égyptien, vous révérez
25 apparemment dans un certain bœuf celui qui vous donné les bœufs ? – Oui, dit l'Égyptien. – Le poisson Oannès, continua-t-il, doit céder à celui qui a fait la mer et les poissons. – D'accord dit le Chaldéen.– L'Indien, ajouta-t-il, et le Cathayen reconnaissent comme vous un premier principe ; je n'ai pas trop bien compris les
30 choses admirables que le Grec a dites, mais je suis sûr qu'il admet aussi un Être supérieur, de qui la forme et la matière dépendent. »

Le Grec qu'on admirait, dit que Zadig avait très bien pris sa pensée. « Vous êtes donc tous de même avis, répliqua Zadig, et il n'y a pas de quoi se quereller. »

INTRODUCTION

Situer le passage

Acheté comme esclave par le marchand Sétoc, Zadig, grâce à son ingéniosité finit par se rendre indispensable à son maître. Tous deux se rendent à une grande foire. À cette occasion, ils soupent avec des négociants venus du monde entier. La discussion porte sur les croyances religieuses.

Dégager des axes de lecture

La fiction aide Voltaire dans ce texte à faire passer l'une de ses idées les plus chères : les conflits religieux sont inutiles puisqu'au fond tous les hommes d'une manière ou d'une autre adorent le même dieu. On peut ainsi étudier d'une part la critique de la prétention de chaque religion à imposer sa propre vision des choses, puis dans un second temps le message de tolérance que le narrateur s'efforce de véhiculer à travers sa fiction.

PREMIER AXE DE LECTURE
LA CRITIQUE
DES RELIGIONS INSTITUÉES

Le fanatisme religieux

Voltaire n'a cessé de lutter contre le fanatisme qui naît de l'intolérance en matière religieuse. Il admet tout à fait l'existence d'un être suprême, mais il ne comprend pas pourquoi, au nom de leurs idées religieuses, les hommes passent leur temps à s'entre-tuer. Aucune religion, aux yeux du philosophe, n'échappe au désir d'être dominante. La première arme dont il use pour disqualifier l'inutilité des luttes religieuses est la mise en scène de l'incompréhension qui découle de l'aveuglement auquel peut conduire la religion.

Comme dans l'ensemble du chapitre, Voltaire confronte les positions des marchands que le hasard a réunis. Il organise un dialogue de sourds, où chacun parle, mais n'écoute pas vraiment les autres. Le Grec expose sa religion, « mais il fut enfin interrompu par le Celte » (l. 4). La discussion religieuse ne peut en effet qu'aboutir à une « querelle » (l. 13). Les participants du souper n'ont qu'une envie, celle de se battre, comme si la vanité et le plaisir du combat primaient en fait les motivations spirituelles : « La querelle s'échauffa pour lors, et Sétoc vit le moment où la table allait être ensanglantée » (l. 13-14) . Chaque participant au souper cherche moins à convaincre les autres par la logique et le sens de la mesure que par la menace et l'intimidation : « Si quelqu'un parlait mal de Teutath, il lui apprendrait à vivre » (l. 12-13). Chacun est si persuadé de détenir la vérité qu'il se montre intolérant et « furieux » (l. 16). Zadig tente de leur prouver que sur le fond, ils sont « du même avis », mais : « À ce mot, ils se récrièrent tous » (l. 21-22).

La multiplication des points de vue

La fiction met en scène une multiplication de voix et de points de vue dotés d'une fonction critique et satirique. En juxtaposant des paroles d'autorité, qui ne débouchent jamais sur un dialogue authentique, Voltaire s'efforce de les disqualifier. Ce qui importe aux religions établies, c'est moins de mettre en évidence la vérité, que de maintenir et d'affirmer un pouvoir, y compris par la force. Au lieu de communiquer, chacun s'enferme dans ses préjugés et ses certitudes. Cette polyphonie, qui accumule les positions contradictoires, est la marque du conte voltairien, qui s'emploie à démonter les discours d'autorité et les attitudes dogmatiques.

Discuter de religion ne peut qu'aboutir en fait à la cacophonie, au désordre, voire à la guerre. Le conteur tire de cette cacophonie de savoureux effets comiques. Avec beaucoup d'humour, il fait défendre au Grec l'idée du « chaos », qui dans la religion grecque désigne la confusion générale des éléments, avant la création du monde. Or c'est bien sous le signe du « chaos » que se déroule ce texte, puisque chacun discute dans la plus grande confusion.

Le caractère ridicule des croyances

Le conteur, qui maîtrise le jeu, se livre à une présentation tendancieuse des religions. Il s'emploie à rendre les différents intervenants ridicules, du fait que leur dieu prend à chaque fois une forme incongrue et aléatoire. Le Grec affirme que le « chaos » (l. 2), autrement dit le désordre, « est le père de tout » (l. 2). Le Celte ne jure que par « Teutath » (l. 13), et par le « gui de chêne » (l. 7) ; il en a toujours « dans sa poche » (l. 8). L'Égyptien adore un « bœuf » (l. 25) et le Chaldéen un « poisson » (l. 26). La religion est ici réduite soit à des discours ineptes, soit à des coutumes qui peuvent apparaître fantaisistes. Dans cette optique, qui relève plus de l'ethnologie que de la théologie, les préoccupations spirituelles sont délaissées au profit de considérations purement matérielles et concrètes. Vues de l'extérieur, les différentes religions se résument en effet à des pratiques et à des particularismes qui apparaissent étranges et incompréhensibles.

SECOND AXE DE LECTURE
LE MESSAGE DE TOLÉRANCE

La médiation de Zadig

Zadig, comme Candide et l'Ingénu, porte et exprime le point de vue de Voltaire. Le conte lui donne le beau rôle et le dernier mot. Contrairement aux autres participants du souper, il se comporte et parle avec douceur : il « adoucit tous les esprits échauffés » (l. 18). Alors que les autres s'enferment dans leur position et leur parole, Zadig adopte un point de vue conciliant et ouvert sur les idées de chacun : « il s'adressa d'abord au Celte » (l. 15-16) ; « il loua le Grec » (l. 17). Cette attitude d'écoute et de conciliation pose les bases d'une discussion tolérante et respectueuse des opinions des autres, même quand on n'est pas d'accord avec elles. Dans le rôle du médiateur, Zadig met en évidence l'importance du dialogue et de la réciprocité dans l'échange des idées.

Zadig cependant argumente. Il s'efforce de faire passer quelques-unes des idées des Lumières. La première est que les hommes peuvent commencer à communiquer s'ils se réclament de la *raison*. S'il a peu besoin de convaincre « l'homme du Cathay » (l. 18-19), c'est-à-dire le Chinois, c'est « parce qu'il avait été le plus raisonnable de tous » (l. 20-21). En effet, plus haut dans le chapitre, le Chinois, au lieu d'alléguer des croyances et d'affirmer l'autorité d'une religion à partir de son ancienneté, s'est contenté de déclarer « qu'il suffit d'être heureux, et que c'est fort peu de chose d'être ancien ».

La question de Dieu

La deuxième idée importante que le conteur s'efforce de faire passer concerne Dieu. Zadig veut montrer qu'au fond l'idée de Dieu est commune à tous les hommes, indépendamment des rites et des signes propres à chaque religion. Son argumentation consiste avec chaque interlocuteur à dissocier l'idée d'un « Être supérieur » (l. 31) des pratiques et des symboles propres aux particularismes religieux. C'est ainsi, dans le cas du Celte, qu'il établit une distinction entre le « gui » (l. 7), symbole particulier, et « celui qui a fait le gui et le chêne » (l. 23), autrement dit Dieu. Il procède de la même manière avec l'Égyptien, le Chaldéen et le Grec. Cette argumentation, par dissociation entre le symbole et l'idée qu'il représente, conduit ainsi à dégager l'idée d'un « premier principe » (l. 29), d'un « Être supérieur » (l. 31), commune à tous les hommes. Les malentendus et les querelles naissent non de l'idée de Dieu, mais des symboles dont se réclame chaque religion particulière.

La nécessité de la distance critique

La fiction du conte fait prévaloir le point de vue de Voltaire. La lecture divertissante de l'histoire permet aussi à l'esprit de se débloquer et de prendre avec souplesse des distances par rapport aux autorités en place et aux préjugés. Le jugement critique se traduit par la capacité de dépasser ses propres limites, de prendre des distances avec son univers particulier et de comprendre ce que l'on a de commun avec les autres hommes. Le Chinois, dans le dispositif fictionnel du conte, incarne aussi ce point de vue distancié. Il apparaît comme un avatar du héros et l'un des porte-parole du conteur. Il représente le point de vue d'un homme très éloigné des autres cultures, celui qui permet de créer une distance critique et de construire une synthèse.

La distance critique est créée par l'humour constant du passage, mais aussi par l'emploi des différents types de discours. Par exemple par l'usage du discours indirect lorsque le Celte prend longuement la parole pour exposer des idées qui se présentent comme une gradation dans l'ineptie et la violence, puisqu'elles cautionnent le cannibalisme et le recours à la force : il « dit en jurant *qu'*il n'y avait que Teutath et le gui de chêne qui valussent la peine qu'on en parlât ; *que*, pour lui, il avait toujours du gui dans sa poche ; *que* les Scythes, ses ancêtres, étaient les seuls gens de bien qui eussent jamais été au monde ; *qu'*ils avaient, à la vérité, quelquefois mangé des hommes, mais *que* cela n'empêchait pas qu'on ne dût avoir beaucoup de respect pour sa nation ; et *qu'*enfin, si quelqu'un parlait mal de Teutath, il lui apprendrait à vivre » (l. 6-13). L'accumulation des propositions conjonctives introduites par « que », crée un effet de lourdeur qui disqualifie la portée du propos. Mais l'usage du discours indirect permet de mettre les paroles du personnage à distance afin de pousser le lecteur à les évaluer et à les juger.

CONCLUSION

Ce texte exprime en miniature et sous la forme de la fiction l'un des aspects majeurs du combat de Voltaire pour la tolérance en matière religieuse. Il s'agit de savoir s'arracher aux signes distinctifs et aux particularismes religieux pour remonter aux principes communs. Si les hommes s'accrochent aux symboles, ils ne peuvent que finir par se battre. Cette attitude définit ce qu'on appelle le *déisme* de Voltaire qui consiste à admettre l'existence de Dieu, sans pour autant accepter les dogmes des religions établies. Il importe aussi de développer sa faculté de juger et son esprit critique. Le conte, avec son humour et les jeux de la féerie, développe un art de la distance, source de liberté et de vérité.

Texte 3 | *Micromégas*
(chapitre vi)

Vous croyez bien que le Sirien et son nain brûlaient d'impatience de lier conversation avec les atomes ; le nain craignait que sa voix de tonnerre, et surtout celle de Micromégas, n'assourdît les mites sans en être entendue. Il fallait en diminuer la force. Ils se mirent
5 dans la bouche des espèces de petits cure-dents, dont le bout fort effilé venait auprès du vaisseau. Le Sirien tenait le nain sur ses genoux, et le vaisseau avec l'équipage sur un ongle ; il baissait la tête et parlait bas. Enfin, moyennant toutes ces précautions et bien d'autres encore, il commença ainsi son discours :
10   « Insectes invisibles, que la main du Créateur s'est plu à faire naître dans l'abîme de l'infiniment petit, je le remercie de ce qu'il a daigné me découvrir des secrets qui semblaient impénétrables. Peut-être ne daignerait-on pas vous regarder à ma cour ; mais je ne
15 méprise personne, et je vous offre ma protection. »

Si jamais il y a eu quelqu'un d'étonné, ce furent les gens qui entendirent ces paroles. Ils ne pouvaient deviner d'où elles partaient. L'aumônier du vaisseau récita les prières des exorcismes les matelots jurèrent, et les philosophes du vaisseau firent un
20 système ; mais, quelque système qu'ils fissent, ils ne purent jamais deviner qui leur parlait. Le nain de Saturne, qui avait la voix plus douce que Micromégas, leur apprit alors en peu de mots à quelles espèces ils avaient affaire. Il leur conta le voyage de Saturne, les mit au fait de ce qu'était M. Micromégas, et, après les avoir plaints
25 d'être si petits, il leur demanda s'ils avaient toujours été dans ce misérable état si voisin de l'anéantissement, ce qu'ils faisaient dans un globe qui paraissait appartenir à des baleines, s'ils étaient heureux, s'ils multipliaient, s'ils avaient une âme, et cent autres questions de cette nature.

INTRODUCTION

Situer le passage

Micromégas, géant habitant de l'étoile Sirius, accomplit un voyage à travers l'univers en compagnie d'un ami dont il a fait connaissance sur la planete Saturne. Tous deux arrivent sur la Terre. Ils rencontrent un vaisseau qui transporte les membres d'une expédition scientifique. Mais ils sont tellement grands qu'ils ont du mal à entrer en contact avec les hommes qui ne leur apparaissent pas plus gros que des insectes. Pour les entendre, ils inventent une sorte de porte-voix confectionné avec un morceau de l'un des ongles de Micromégas ; pour leur parler, ils utilisent de « petits cure-dents » (l. 5).

Dégager des axes de lecture

Ce texte illustre parfaitement le merveilleux propre à *Micromégas*. Voltaire, comme Rabelais, dans *Gargantua* et dans *Pantagruel*, ou Jonathan Swift, dans *Les Voyages de Gulliver*, s'amuse à jouer sur les différences de proportion entre des géants et des êtres minuscules. Mais le jeu n'est pas gratuit, il contient un enseignement philosophique, qui vise à rabaisser les prétentions des hommes. Après avoir analysé l'humour du passage, notamment à travers les jeux du grand et du petit, nous nous efforcerons de dégager ses principaux enjeux philosophiques.

PREMIER AXE DE LECTURE
LES JEUX DE L'HUMOUR

L'humour de la disproportion

Ce passage fait jouer pleinement le contraste du grand et du petit, que suggère l'étymologie grecque du nom Micromégas, composé de *micro* qui veut dire *petit* et de *mégas* qui veut dire *grand*. Micromégas et le Saturnien ont une apparence humaine, mais ce sont des géants. Nous sommes dans le merveilleux propre aux contes et aux légendes. Le gigantisme des héros est mis en scène par le conteur, de manière à produire de savoureux effets comiques. Une première disproportion apparaît d'abord entre Micromégas, le « Sirien », et son compagnon, le Saturnien, dans la mesure où ce dernier est un géant, mais qui fait figure de « nain » (l. 1) par rapport au premier. C'est pourquoi on voit le « Sirien » tenir « le nain sur ses genoux » (l. 5-6). Quant aux hommes, leur petitesse est soulignée par le fait que Micromégas dépose leur vaisseau sur l'un de ses ongles. Aux yeux des deux extra-terrestres, ils ne sont pas plus gros que des « atomes » (l. 2), des « mites » (l. 3), des « insectes » (l. 10).

La fantaisie du conteur se donne ici libre cours. Elle se poursuit au moment où Micromégas se met à parler aux humains. Sa « voix de tonnerre » (l. 2-3) est si puissante qu'elle jette l'épouvante parmi les membres de l'équipage : « Si jamais il y a eu quelqu'un d'étonné, ce furent les gens qui entendirent ces paroles. Ils ne pouvaient deviner d'où elles partaient » (l. 16-18). La puissance de cette voix est soulignée par le contraste avec celle du « nain de Saturne, qui avait la voix plus douce que Micromégas » (l. 21-22).

Le point de vue de la candeur et de l'ingénuité

Le gigantisme de Micromégas et celui du Saturnien créent entre les héros et les minuscules êtres humains une distance. Par rapport aux hommes, les géants sont dans une position de surplomb et d'observation, comparable à celle d'un entomologiste qui observe à la loupe des « insectes ». Les deux géants n'abordent pas les hommes avec une attitude méchante et hostile. Au contraire ils se montrent pleins de délicatesse et d'attention à leur égard. Ils brûlent « d'impatience de lier conversation » (l. 1-2). Ils prennent toutes sortes de « précautions » (l. 8) pour s'adresser à eux. Micromégas adopte pour leur parler un ton respectueux et protecteur : « Peut-être ne daignerait-on pas vous regarder à ma cour ; mais je ne méprise personne, et je vous offre ma protection » (l. 14-15). Le Saturnien, qui parle à la place de son ami, parce qu'il a « la voix plus douce » (l. 21), leur pose des questions qui expriment la curiosité et la bonté des géants. En fait les deux héros abordent la Terre avec une sorte de naïveté.

Le gigantisme est en effet ici le moyen dont use le conteur pour créer un point de vue décalé sur la société humaine. Ce point de vue est celui de la *candeur* et de l'*ingénuité*, il est la caractéristique des principaux héros des romans de Voltaire : Candide, l'Ingénu ou encore Zadig. Tous ont un cœur fondamentalement bon ; ils sont en outre animés d'un grand désir de connaître et de s'instruire.

Le point de vue du conteur

Il faut distinguer le point de vue des géants et celui du conteur, qui tire les ficelles de la fiction. La distance physique, qui sépare les extra-terrestres et les hommes, matérialise aussi la distance de l'humour et de la critique. Pour se moquer ou pour s'adonner à l'humour, il faut en effet créer un écart et un recul par rapport aux choses ou aux êtres dont on veut s'amuser. L'humour du passage ne provient pas de l'attitude des géants à l'égard des hommes, mais du rapport et de la distance que le conteur instaure entre ces deux groupes de personnages. Micromégas et le Saturnien ne sont que des marionnettes que Voltaire actionne pour créer un relief, une situation extraordinaire propre à manifester son humour et son ironie. Ce rapport est marqué par les interventions directes du narrateur s'adressant au lecteur : « Vous croyez bien que le Sirien et son nain brûlaient d'impatience de lier conversation avec les atomes » (l. 1-2).

Voltaire s'amuse ainsi à mettre les hommes dans une fâcheuse posture. Il se plaît à décrire la panique qui les saisit lorsque Micromégas commence à parler : « Si jamais il y a eu quelqu'un d'étonné, ce furent les gens qui entendirent ces paroles. Ils ne pouvaient deviner d'où elles partaient. L'aumônier du vaisseau récita les prières des exorcismes, les matelots jurèrent, et les philosophes du vaisseau firent un système » (l. 16-20). Sous l'apparence d'un récit neutre qui juxtapose les réactions du religieux, des matelots et des philosophes, Voltaire en fait dévalorise le religieux et les philosophes en les mettant sur le même plan que « les matelots » qui jurent.

Tout le texte est ainsi rempli de la présence du narrateur, qui poursuit, à travers les jeux de la fiction et de l'humour, une entreprise morale et philosophique.

La satire de la présomption humaine

Voltaire dans ce texte a une visée satirique. Il s'efforce d'abord de rabaisser les prétentions de l'homme à se croire le maître de la nature et de l'univers. Cette attitude qui consiste à se croire supérieur s'appelle la *présomption*. De nombreux philosophes, comme Montaigne (1533-1592) ou Pascal (1623-1662), n'ont cessé de critiquer la présomption de l'homme, de l'opinion trop avantageuse qu'il a de lui-même au sein de la création. Alors que l'homme ne cesse de faire un complexe de supériorité, le texte multiplie les expressions qui l'abaissent et l'humilient. Micromégas s'adresse à eux en des termes qui les rapetissent : « Insectes invisibles, que la main du Créateur s'est plu à faire naître dans l'abîme de l'infiniment petit » (l. 10-11). De même le Saturnien les plaint « d'être si petits » (l. 24) ; il leur demande « s'ils avaient toujours été dans ce misérable état proche de l'anéantissement » (l. 25-26). Le moyen utilisé par le conteur pour critiquer la présomption humaine est la *relativisation*. Le point de vue des hommes n'est pas dominant dans le texte, il est dépassé par celui des géants. De cette manière Voltaire cherche à montrer que les hommes si puissants ou si savants soient-ils n'ont jamais qu'une puissance relative, un savoir relatif.

La satire de la religion et des systèmes philosophiques

Parmi les prétentions humaines, Voltaire ne cesse de dénoncer et de critiquer celles des religions et celles des philosophes. Face à un événement extraordinaire, la voix assourdissante de Micromégas, les membres du vaisseau sont pris de panique. La réaction religieuse de « l'aumônier » relève de la superstition, puisqu'elle fait appel aux « prières des exorcismes » (l. 18). L'exorcisme, dont Voltaire se moque volontiers, est une pratique religieuse qui consiste à chasser le démon du corps d'un possédé à l'aide de formules et de cérémonies.

Les philosophes ne valent pas mieux. Loin de réagir par une attitude concrète et pratique, ils font « un système » (l. 20), que le conteur s'amuse à mettre sur le même plan que les « exorcismes » et les « jurons » (l. 18-19) des matelots. Voltaire ne cesse en effet de dénoncer une certaine forme de philosophie qui loin d'éclairer les consciences des hommes et de leur apporter le bonheur, ne fait qu'embrouiller leur perception du réel. Il a en horreur les philosophies qui se présentent comme des systèmes. C'est pourquoi il déteste le système philosophique de Leibniz (1646-1716), source à ses yeux d'obscurité et de bêtise. Les systèmes des philosophes n'avancent le plus souvent à rien : « Quelque système qu'ils fissent, ils ne purent jamais deviner qui leur parlait » (l. 20-21). Cela n'empêche pas Voltaire d'être lui-même un philosophe, mais dont la pensée se garde d'adopter un tour systématique ou dogmatique.

L'éloge de la curiosité scientifique

Si Voltaire n'aime pas les spéculations philosophiques, il se passionne en revanche pour tout ce qui relève de la recherche scientifique, parce qu'il s'agit d'investigations concrètes et universelles. Et c'est en savants que Micromégas et son ami abordent les hommes. Pour eux les hommes sont des « insectes » (l. 10) étranges, qu'ils vont s'employer à étudier avec un regard d'entomologiste. C'est pourquoi ils adoptent le ton de l'enquête par le questionnement, qui cherche à comprendre et à classifier. On voit ainsi le Saturnien qui demande aux hommes « ce qu'ils faisaient dans un globe qui paraissait appartenir à des baleines, s'ils étaient heureux, s'ils multipliaient, s'ils avaient une âme, et cent autres questions de cette nature » (l. 26-29). Aux dogmes des religions et aux préceptes des philosophies, Voltaire, en homme des Lumières, préfère une attitude intellectuelle plus ouverte qui interroge et questionne.

CONCLUSION

Ce texte illustre le merveilleux et la fantaisie propres aux contes de Voltaire. Son art de la fiction et du récit a pour but de créer sur le monde des hommes un point de vue décalé. Il s'agit de provoquer chez le lecteur une prise de conscience, qui le libère du poids des préjugés et des dogmes. Le point de vue de Micromégas est bien ici le *point de vue de Sirius*, c'est-à-dire un point de vue en surplomb, capable de prendre du recul et de la hauteur. Empêtré dans les détails et ses petits intérêts particuliers, l'homme s'enferre dans les préjugés et la violence. C'est en prenant de la distance qu'il peut relativiser ses opinions et mieux s'ouvrir à celles des autres. Ce point de vue distancié, qui ouvre à la relativisation des opinions humaines et à la tolérance, définit aussi l'humour. L'humour est l'art de la distance qu'on est capable de prendre par rapport au réel. Il permet de mettre le monde en perspective et de convertir les contrariétés en plaisir.

Bibliographie

BIBLIOGRAPHIE DE VOLTAIRE

- ORIEUX Jean, *Voltaire ou la Royauté de l'esprit*, Paris, éd. Flammarion, 1966.
- POMEAU René, *Voltaire par lui-même*, Paris, éd. du Seuil, 1955.

OUVRAGES SUR VOLTAIRE

- DEBAILLY Pascal, ROBRIEUX Jean-Jacques, VAN DEN HEUVEL Jacques, *Le Rire de Voltaire*, Paris, éd. du Félin, 1994.
- LANSON Gustave, *Voltaire*, Paris, éd. Hachette, 1960.
- POMEAU René, *La Religion de Voltaire*, Paris, éd. Nizet, 1955.
- POMEAU René (sous la direction de), *Voltaire en son temps*, Oxford, 1985-1994 (5 vol.).
- SAULNIER Verdun-Louis, *Zadig ou la Destinée*, Genève, éd. Droz, 1946.
- VAN DEN HEUVEL Jacques, *Voltaire dans ses contes*, Paris, éd. Armand Colin, 1967.

Index
Guide pour la recherche des idées

Sciences

Politique

Roman de formation

Comique

Les références renvoient aux pages du Profil.

Achevé d'imprimer en France par la Nouvelle Imprimerie Laballery
Dépôt légal : 73744-2/14 – Octobre 2015 – N° d'impression : 509312